ÉTUDES LITTÉRAIRES

RABELAIS

Pantagruel
Gargantua

PAR PIERRE MARI

PRESSES UNIVERSITAIRES DE FRANCE

ÉTUDES LITTÉRAIRES

Collection dirigée par
Jean-Pierre de Beaumarchais
Daniel Couty
et par Yves Chevrel
pour les textes étrangers

ISBN 2 13 046438 6
ISSN 0764-1621

Dépôt légal — 1re édition : 1994, mai
© Presses Universitaires de France, 1994
108, boulevard Saint-Germain, 75006 Paris

Sommaire

Avertissement

Les discours et analyses suscités par l'œuvre de Rabelais depuis quatre siècles sont à la mesure de leur objet : foisonnants, contradictoires et intimidants. Se risquer une nouvelle fois à proposer une approche de *Pantagruel* et *Gargantua* n'est pas chose aisée : il faut tout ensemble tenir compte de cet immense héritage critique — nul ne peut tout réinventer à lui seul — et savoir s'en affranchir — une reconnaissance de dettes n'a jamais tenu lieu d'option interprétative. L'étude qui suit tâche de se conformer à cette double exigence.

De Lucien Febvre à Mikhaïl Bakhtine, des volumes successifs des *Etudes rabelaisiennes* à Jean Paris, Gérard Defaux et François Rigolot, l'œuvre a été arpentée en de multiples directions. Qu'on en accepte les acquis ou qu'on les soumette à discussion polémique, nombreux sont les travaux des cinquante dernières années qui s'imposent désormais à l'analyse comme autant de passages obligés. Reste que le présent ouvrage n'entend pas produire un « état des lieux » de la réflexion critique. Il n'a recours à des problématiques existantes que pour délimiter et sillonner modestement un territoire curieusement peu visité : celui de la sociabilité rabelaisienne, du rapport à l'autre et de l'éthique de la communication. Le privilège accordé à ces dimensions de l'œuvre n'est naturellement pas arbitraire : d'abord parce qu'elles s'avèrent centrales chez un auteur qui ne pose la question du sens que dans l'élément effervescent de l' « entreparler », ensuite parce qu'elles permettent d'établir plus d'une passerelle entre les préoccupations de Rabelais et notre xxᵉ siècle finissant.

Dans les références au texte, la double pagination renvoie d'une part à l'édition des *Œuvres complètes* annotée et préfacée par Guy Demerson (Seuil, 1973), d'autre part à l'édition de poche de *Pantagruel* et *Gargantua* due à Françoise Joukovsky (Garnier-Flammarion, 1993).

Analyse du contenu narratif

La gémellité malicieuse de *Pantagruel* et *Gargantua* autorise une étude conjointe des deux récits. De la sortie du corps maternel à l'échappée vers un autre monde — utopie thélémite, bouche habitée de Pantagruel —, l'histoire du père et celle du fils déroulent un itinéraire jalonné des mêmes épisodes : naissance, enfance, éducation, guerre et triomphe final. Cette scansion identique des deux récits ne recouvre pas moins de profondes différences de traitement narratif.

Un premier ensemble est constitué par la généalogie, la « nativité » et les exploits enfantins du géant (*Gargantua,* chap. 1 à 13 ; *Pantagruel,* chap. 1 à 4). La seule comparaison du nombre des chapitres montre le peu d'intérêt que *Pantagruel* accorde à l'enfance du personnage : le chapitre 4 (« De l'enfance de Pantagruel ») s'inscrit bien plus dans la thématique traditionnelle des « enfances du héros » qu'il n'annonce le processus qui conduira le jeune Gargantua à la découverte de son propre corps, du monde extérieur et du langage.

Le second ensemble d'épisodes se déroule pour l'essentiel à Paris : il est consacré à l'éducation du géant et à l' « essay » de ses forces intellectuelles (*Gargantua,* chap. 14 à 24 ; *Pantagruel,* chap. 5 à 24). Tandis que *Gargantua* expose sur un mode rigoureusement articulé une pédagogie en acte, *Pantagruel* réduit à une simple phrase le processus d'apprentissage de son héros : « Le voyant estudier et proffiter eussiez dict que tel estoit son esperit entre les livres comme est le feu parmy les brandes, tant il l'avoit infatigable et strident. »[1] Autre différence notable : *Pantagruel* intègre à cet ensemble

1. Seuil, p. 249 ; GF, *Pantagruel,* p. 68.

l'irruption de Panurge, le jovial acolyte, alors que *Gargantua* maintient le géant dans la seule et édifiante compagnie de Ponocrates et Eudémon.

Viennent ensuite les péripéties guerrières, très inégalement développées dans les deux récits (*Gargantua,* chap. 25 à 48 ; *Pantagruel,* chap. 25 à 30) : le petit théâtre tourangeau de la guerre picrocholine mobilise paradoxalement des stratégies plus vastes et des réflexions politiques autrement complexes que le conflit qui oppose Utopiens et Dipsodes.

Un dernier groupe d'épisodes en forme conclusive rassemble le châtiment infligé à l'envahisseur, la récompense des bons serviteurs et l'évocation d'un « envers » du monde (*Gargantua,* chap. 49 à 58 ; *Pantagruel,* chap. 31 à 34). La commune présence d'un Ailleurs à la fin des deux récits ne saurait masquer leurs profondes dissemblances : tandis que le tableau des mœurs thélémites occulte le gigantisme et semble dissoudre les ardeurs épiques dans une sociabilité un peu froide et abstraite, les villes et paysages que renferme la bouche de Pantagruel consacrent la vocation cosmique du géant. Si la fiction gigantale s'estompe dans les derniers chapitres de *Gargantua,* elle réaffirme et excède joyeusement tous ses droits à la fin de *Pantagruel.*

L'auteur

Au détour d'un chapitre particiellement consacré à *Gargantua,* Michelet laisse échapper cette exclamation : « Plût au Ciel qu'on pût faire une vie de Rabelais ! Cela est impossible. »[1] Brève irruption d'un désespoir d'érudit, aussitôt transcendée par une mystique de l'imagination recréatrice : la restitution du détail importe moins, aux yeux de Michelet, que l'évocation des forces archétypiques qui régissent le corps à corps d'une vie et d'une époque. Rabelais, nous dit-il, « fut homme de toute étude, de tout art, de toute langue, le véritable *Panourgos,* agent universel dans les sciences et dans les affaires, qui fut tout et fut propre à tout, qui contint le génie de son siècle et le déborde à chaque instant »[2]. Quelles que soient ses erreurs de perspective ou ses exagérations romantiques, la fulgurante esquisse biographique tracée par Michelet éclipse les laborieuses reconstructions positivistes des décennies ultérieures : son exigence d'unité fonde un mode de compréhension auquel le pointillisme de ses rivales ne saurait évidemment prétendre.

Rabelais fut en effet ce *Panourgos* dont la curiosité a sillonné les lieux cruciaux du savoir et du pouvoir de l'époque — université, imprimerie, monastère, chancellerie et cour pontificale. L'activité multiforme qu'il a déployée ne peut être évaluée au regard de nos propres critères de cohésion : de l' « abysme de science » livresque à l'immersion dans l'actualité politico-diplomatique la plus brûlante, il y a une continuité organique qui tend à nous échapper, et qu'il faut reconstituer. Suivre le cours mouvementé de cette existence, c'est être attentif aux pas-

---

1. Michelet, *Renaissance et Réforme,* Paris, Robert Laffont, coll. « Bouquins », 1982, p. 388.
2. *Ibid.,* p. 386.

sages et aux médiations que l'ardeur conquérante de l'époque ménage entre des sphères d'activité apparemment hétérogènes.

Le moine philologue

La date de naissance de Rabelais, 1483 ou 1494, continue ironiquement de se dérober aux recherches des érudits. L'éducation du jeune homme est confiée aux moines, et l'on suppose qu'aux alentours de 1510 il est novice dans un couvent de cordeliers près d'Angers. Sans doute est-il ordonné prêtre dans les années qui suivent. En 1521, une lettre adressée à Guillaume Budé — c'est le premier écrit de Rabelais que nous connaissions — nous apprend qu'il est moine franciscain au couvent de Fontenay-le-Comte. Un ordre aussi fermé aux lettres nouvelles ne pouvait convenir longtemps à Rabelais. Il n'est pas moins vraisemblable, comme l'a suggéré Etienne Gilson[1], que l'éloquence des franciscains, rude et souvent irrespectueuse à l'égard des pouvoirs, a dû influencer de plus d'une manière le futur auteur de *Pantagruel*.

Avec un compagnon d'étude, frère Pierre Lamy, Rabelais est accueilli dans le cercle érudit du légiste André Tiraqueau : ce cénacle de magistrats lettrés avait déclaré la guerre aux juristes bornés, et s'appliquait à revivifier les sciences juridiques par l'étude des *humaniores litterae* — histoire, philosophie et poésie. Exutoire aux étouffements de la vie monastique, le zèle philologique et littéraire de Rabelais n'est pas sans évoquer celui d'Erasme : quelque trente années plus tôt, le jeune moine hollandais s'était vengé de la rusticité de ses « frères » en entreprenant la rédaction des *Antibarbari*.

Budé encourage naturellement l'activité des deux cor-

---

1. Etienne Gilson, Rabelais franciscain, dans *Les idées et les lettres,* Vrin, 1932.

deliers : en philologue convaincu de l'intime solidarité de la lettre et de l'esprit, il les incite à apprendre le grec. Or la Sorbonne s'appliquait à en interdire l'étude, jugée trop propice, en ces temps de diffusion des idées luthériennes, à l'interprétation libre du Nouveau Testament. A la fin de l'année 1523, les supérieurs de Rabelais et Lamy confisquent aux deux érudits leurs livres de grec. Mais il ne semble pas que Rabelais fut jeté dans un *in-pace,* comme veut le faire croire l'emportement anticlérical de Michelet. Budé, dans une lettre à Rabelais, dénonce « l'horrible calomnie de ces malheureux ignorans qui vouloient faire passer pour hérétiques ceux qui s'appliquoient à cette belle langue, et les poursuivoient avec un excès d'inhumanité ». Lamy abandonne le couvent et se réfugie à Bâle, patrie d'élection des idées novatrices ou hétérodoxes. Quant à Rabelais, il obtient un indult du pape validant son passage chez les bénédictins, crédités d'une plus grande ouverture aux évolutions culturelles. A l'abbaye de Maillezais, il fait la connaissance du prélat humaniste Geoffroy d'Estissac, évêque du diocèse, qui l'attache à son service comme secrétaire.

L'apostat médecin

En 1528, il quitte le froc des bénédictins pour l'habit de prêtre séculier. Ce délit d'apostasie est trop répandu alors pour n'être pas jugé mineur. Deux ans plus tard, Rabelais est immatriculé sur le registre des étudiants de la Faculté de médecine de Montpellier. La rapidité de ses études rend vraisemblable l'hypothèse d'une solide formation antérieure. Cette vocation s'explique par le statut prestigieux de la médecine dans les années 1520, science « totale » qui combine des disciplines aussi diverses que l'anatomie, la botanique, l'astrologie et l'art de la parole.

En 1532, Rabelais adresse à Erasme, comme il l'avait fait à Budé quelque dix ans plus tôt, une lettre dans laquelle il lui exprime toute sa reconnaissance : « Je vous ai nommé "père", je dirais même "mère", si votre indulgence m'y autorisait. (...) Vous avez fait mon éducation, vous n'avez pas cessé de me nourrir du lait irréprochable de votre divine science ; ce que je suis, ce que je vaux, c'est à vous seul que je le dois... »[1] D'une manière significative, Rabelais évite les circonlocutions quelque peu obséquieuses de la lettre à Guillaume Budé : la reconnaissance d'une dette essentielle apparaît cette fois comme le fondement et le prélude de l'émancipation intellectuelle.

S'ouvre en effet une période d'intense production éditoriale, qui témoigne d'une curiosité encyclopédique. En 1531, Rabelais fait un cours comme stagiaire à l'Université de Montpellier : il commente Galien, les *Aphorismes* d'Hippocrate, et publie une traduction latine de ces derniers, qu'il accompagne de « doctes observations ». L'année suivante, installé à Lyon où il fréquente l'imprimeur humaniste Etienne Dolet, il publie des *Epistres Medicinales* de l'Italien Manardi. Nommé médecin à l'Hôtel-Dieu de Notre-Dame de la Piété du Pont-du-Rhône en novembre 1532, il publie vraisemblablement *Pantagruel* à l'occasion des foires d'automne : l'ouvrage paraît sans autre nom d'auteur que l'anagramme vaguement arabisante d'Alcofrybas Nasier. A la fin de la même année, Rabelais édite un texte juridique prestigieux quoique apocryphe, le *Testament de Cupidius.* Tous ces travaux en apparence dispersés trouvent leur fondement commun dans la validité transdisciplinaire de la méthode philologique : faire œuvre scientifique à l'époque, c'est ramener les grands textes au plus près de leur énonciation originale, en éliminant impitoyablement les gloses, défigurations et interpolations. Le paradigme de la pureté textuelle prime encore sur celui de l'expérimentation rationnelle et unit dans un continuum épistémologique le droit, les lettres et la médecine.

1. *Œuvres complètes,* éd. Demerson, p. 948.

Les errances du conteur

En 1533, la Sorbonne condamne *Pantagruel* pour obscénité. Jean Du Bellay, archevêque de Paris que François Ier a chargé d'une mission à Rome, prend Rabelais sous sa protection et lui demande de l'accompagner comme médecin et secrétaire. Les esprits chagrins ne manqueront pas de s'indigner qu'un prélat « premier par le rang et la science » admette auprès de lui « un tel vivant défi aux bonnes mœurs et à l'honnêteté publique »[1].

Rabelais, qui s'est pris d'intérêt pour la topographie de la Ville éternelle, réédite la *Topographia antiquae Romae* de l'érudit milanais Marliani. De retour à Lyon en 1534, il publie *Gargantua* et la *Pantagruéline prognostication.* En 1536, il met à profit un second séjour romain pour obtenir un bref de Paul III l'autorisant à regagner un monastère bénédictin de son choix. Toujours protégé par Jean Du Bellay, il devient l'un des chanoines prébendés de l'abbaye de Saint-Maur-des-Fossés ; mais il renonce à la résidence et préfère garder sa liberté de mouvement. L'année suivante, il est reçu docteur en médecine à la Faculté de Montpellier. Il exerce et enseigne dans cette ville. Etienne Dolet écrit alors que Rabelais est « un des meilleurs médecins du monde ».

Au début de 1540, devenu médecin de Guillaume Du Bellay, gouverneur du Piémont, l'auteur de *Pantagruel* et *Gargantua* expurge ses deux récits des railleries trop voyantes contre les théologiens. Il rompt avec Etienne Dolet, qui publie sans son autorisation une version non expurgée des deux textes. Sincère ou tactique, cette édulcoration ne réussit pas pour autant à lui concilier les bonnes grâces de la Sorbonne : en 1543, *Pantagruel* et

---

1. Gabriel de Puy-Herbault, cité par Michel Butor et Denis Hollier, *Rabelais ou c'était pour rire,* Larousse, coll. « Thèmes et Textes », 1972.

Gargantua sont censurés par le Parlement à la requête des théologiens.

Le *Tiers Livre,* qui paraît en 1546 à Paris, est aussitôt condamné par la Sorbonne. Rabelais quitte la France pour Metz, ville d'Empire qui lui offre un poste de médecin. En 1547, sur le chemin de Rome où il accompagne une nouvelle fois le cardinal Jean Du Bellay, il remet au libraire Pierre de Tours, à Lyon, le manuscrit de onze chapitres du *Quart Livre,* qui seront publiés l'année suivante. En 1552, Jean Du Bellay lui fait conférer les cures de Meudon et de Saint-Christophe-du-Jambet, dont Rabelais confie la gestion à un vicaire. La version intégrale du *Quart Livre* est publiée l'année suivante et fait l'objet d'une censure immédiate des théologiens. A la fin de l'année, des rumeurs concernant une prétendue incarcération de Rabelais circulent à Lyon. En 1553, il résigne ses deux cures, et meurt vraisemblablement à Paris.

L'Isle Sonante — 16 chapitres du *Cinquième Livre* — est publiée en 1562, et deux ans plus tard paraît l'intégralité du *Cinquième Livre,* dont la paternité fait toujours l'objet de discussions.

Un Panurge tempéré ?

On qualifie parfois d' « humanisme civique » l'aspiration générale dont témoigne l'existence de Rabelais. En l'occurrence, l'expression est presque un pléonasme : dans le contexte des années 1520-1540, toute activité intellectuelle s'inscrit d'autant plus visiblement dans le champ des pratiques sociales qu'elle doit lutter ou composer avec les instances régulatrices du savoir. Rabelais n'échappe pas plus qu'un autre à cette détermination : contre les moines, il lui faut défendre ses livres de grec ; contre sa situation d'homme d'Eglise, il lui faut marquer le territoire de ses études et de sa pratique médicales ; et pour se préserver des aléas de la conjoncture religieuse, il lui faut moduler les formulations trop abruptes de ses textes et leur ménager des positions de repli. Comme Panurge, Rabelais acquiert la plasticité de celui qui évolue à la lisière dangereuse du tolérable et de l'interdit : s'il ne partage pas les frasques inquiétantes de son héros, il manifeste une singulière aptitude panurgienne à éviter les flammes du bûcher. Cultivant appuis et cautions, il sait en effet jusqu'où ne pas aller trop loin, et se garde de tomber dans des provocations à la Etienne Dolet. Sa vie mêle en une heureuse combinaison tactique l'audace et la prudence : elle exploite le *jeu* complexe d'une société où les brutales décharges d'obscurantisme n'empêchent pas la « remarquable inefficacité »[1] de la censure ; dans le flottement relatif des normes et des pouvoirs, elle déroule un fil incertain, souvent menacé, mais finalement soustrait aux agressions des « bigotz » et autres « vieux matagotz ».

---

1. Francis Higman, Le Levain de l'Evangile, dans *L'Histoire de l'édition française,* Promodis, 1982, p. 310.

Le contexte

Lorsque paraissent *Pantagruel* et *Gargantua*, la France a conscience de vivre depuis quelques décennies une époque nouvelle, riche de réalisations prestigieuses autant que de potentialités encore insoupçonnées. Période faste et relativement stable que ce « beau XVIe siècle », traversé néanmoins par les signes avant-coureurs d'une inévitable rupture d'équilibre.

Economie-monde et Etat national

Le royaume participe, depuis la fin du siècle précédent, au mouvement général d'une économie en voie de mondialisation : l'afflux monétaire et l'élargissement des horizons commerciaux ébranlent les vieilles structures et vouent inéluctablement le monde à la mobilité des hommes, des marchandises et de l'argent. Panurge se fera, au début du *Tiers Livre,* l'avocat lyrique et quelque peu sophiste de cette circulation généralisée, garante du lien social et gage d'une dynamique perpétuellement créatrice : « Entre les humains, paix, amour, dilection, fidélité, repous, banquetz, festins, joie, liesse, or, argent, menue monnoie, chaisnes, bagues, marchandises troteront de main en main. (...) O monde heureux ! »[1]

Les signes du nouveau éclatent et se multiplient, affectant non seulement l'économie mais les rapports du pouvoir politique et de la société. La puissance monarchique se dote, sous François Ier, de fondements idéologiques et de moyens institutionnels qui la transforment peu à peu en Etat moderne : des progrès décisifs sont accomplis

1. Seuil, p. 386-387.

dans la voie d'une centralisation efficace — création de corps d'officiers, réforme de l'administration judiciaire et financière. A l'image ancienne d'un roi placé au sommet de la pyramide des relations vassaliques se substitue, sous l'effet d'une vigoureuse réflexion juridico-politique, l'image d'un espace social animé et rationalisé par une force directrice.

La construction d'un Etat national aux attributions étendues devait naturellement ébranler le joug de la Curie romaine : un mouvement se dessine, dans toute l'Europe du Nord, en faveur de l'autorité du prince en matière religieuse — proclamations de Henri VIII, doctrine luthérienne, Concordat de 1516 qui accroît nettement les prérogatives de la Couronne sur l'Eglise de France. Mouvement attesté à la fois par *Pantagruel* et *Gargantua* : dans la prière qu'il adresse à Dieu avant de combattre, Pantagruel promet de faire « prescher le Sainct Evangile » partout où il aura « puissance et autorité », et de combattre sans merci les « faulx prophètes » responsables de la mutilation du texte sacré[1]; c'est dans le même esprit que Gargantua stigmatise le culte des saints prêché par les « faulx prophètes » et développe devant les pèlerins trop naïfs une critique sociale et politique de la crédulité : « Et m'esbays si vostre roy les laisse prescher par son royaume telz scandales, car plus sont à punir que ceux qui, par art magicque ou aultre engin, auroient mis la peste par le pays. »[2] Dans les deux récits, la mise en scène platonico-érasmienne du roi-philosophe a valeur d'exhortation : elle témoigne du désir, commun à bon nombre d'humanistes, d'une politique de réforme évangélique menée par le pouvoir royal.

---

1. Seuil, p. 330 ; GF, *Pantagruel,* p. 162.
2. Seuil, p. 175 ; GF, *Gargantua,* p. 196.

Fermentations spirituelles

Depuis la fin des années 1510, la France voit en effet se développer un mouvement d'idées qui aspire à la purification des pratiques et croyances chrétiennes. Sous l'influence conjuguée de l'humaniste érasmien Lefèvre d'Etaples (1450-1536) et de l'évêque de Meaux Guillaume Briçonnet (1472-1534), un souci commun anime ceux qu'on appelle les « évangéliques » : retourner aux sources vives du christianisme. Dans une lettre à Marguerite d'Alençon, sœur de François Ier et future reine de Navarre, Guillaume Briçonnet dresse un constat impitoyable de la situation ecclésiale, pastorale et théologique : « L'Eglise est de présent aride et sèche comme le torrent en la grande chaleur australe. »[1] Dans le sillage des réquisitoires érasmiens, les critiques formulées par l'évangélisme français se concentreront sur trois points essentiels : le formalisme intellectuel et la logomachie imbue d'elle-même où s'est enferrée la théologie du XVe siècle finissant ; les abus multiformes dont l'Eglise, « en sa tête » aussi bien qu' « en ses membres », donne le spectacle misérable : préoccupations excessivement matérielles des pontifes, non-résidence des évêques, dérive des ordres monastiques ; enfin et surtout, l'incapacité des membres de l'Eglise à délivrer le message de l'Evangile et à répondre aux besoins d'une communauté chrétienne de plus en plus angoissée. Récusant les adjonctions humaines — gloses intellectuelles autant que formes liturgiques et pratiques extérieures de dévotion —, l'évangélisme se présente comme un christocentrisme « logocentrique », pour reprendre l'heureuse expression de Gérard Defaux : « C'est par cette croyance fondamentale au pouvoir transformant de la Parole, par cette foi dans son

---

1. Cité par Gérard Defaux, *1534 — 17, 18 octobre — l'évangélisme français*, in *De la littérature française*, sous la direction de Denis Hollier, Bordas, 1993.

efficacité absolue, que s'explique le mieux la dimension pédagogique et militante de l'évangélisme. »[1] Les épanchements mystiques d'un Guillaume Briçonnet ou d'une Marguerite de Navarre ne doivent pas occulter en effet la portée sociale et politique d'une telle volonté de réforme. Placer le texte sacré au centre de la pratique religieuse, c'est l'arracher à l'emprise des spécialistes de l'interprétation et donc bouleverser un système séculaire de pouvoirs et d'allégeances. L'utopie thélémite ne se fera pas faute, dans le poème programmatique affiché à l'entrée du bâtiment, de mettre l'accent sur ce lien d'implication réciproque entre purification de la Parole et réorganisation des rapports sociaux :

> Cy entrez, vous qui le sainct Evangile
> En sens agile annoncez, quoy qu'on gronde (...)
> Entrez, qu'on fonde icy la foy profonde,
> Puis qu'on confonde, et par voix et par rolle,
> Les ennemys de la saincte parolle[2].

Répression religieuse ou compromis ?

Les espérances placées en François Ier sont à la fois nourries et déçues tout au long de cette période ambiguë : la politique intellectuelle et religieuse du monarque multiplie les hésitations et les jeux de bascule. Favorable à l'esprit érasmien et évangélique, hostile au conservatisme théologique de la Sorbonne, le roi semble acquis à l'idée d'une *renovatio litterarum* solidaire d'une *renovatio spiritus*. En témoigne l'institution, en 1530, de deux « lecteurs royaux » en grec et en hébreu, afin de favoriser une meilleure connaissance des deux Testaments : le futur Collège de France s'enrichira progressivement de nouvelles disciplines, assurant la promotion d'un multilinguisme à voca-

---

1. *Ibid.*, p. 160.
2. Seuil, p. 198 ; GF, *Gargantua*, p. 224.

tion spirituelle dont la lettre de Gargantua à Pantagruel se fait l'écho : « J'entens et veulx que tu aprenes les langues parfaictement : premièrement la Grecque, comme le veult Quintilian, secondement la Latine, et puis l'Hébraïcque pour les sainctes lettres... »[1] Dépossédés du monopole de l'accès au texte sacré, les théologiens de l'Université de Paris réagissent et intentent des procès contre les lecteurs royaux. Mais l'humanisme évangélique conserve les faveurs du souverain, et les foyers de résistance à l'esprit nouveau se raidissent dans des attitudes obscurantistes qui en font autant de cibles faciles pour leurs adversaires. Le chapitre 7 de *Pantagruel* — les « beaulx livres de la librairie Saint-Victor » — ne se prive pas de ridiculiser une abbaye connue pour ses positions anti-érasmiennes, et dresse un inventaire où le délire absurde est émaillé de noms bien réels : Pierre Tartaret, philosophe scolastique commentateur d'Aristote, se voit ainsi attribuer un manuel de défécation, et Noël Béda, syndic de la Faculté de théologie et épouvantail des humanistes, devient l'auteur d'un traité consacré à l'*Excellence des tripes*.

Si l'auteur de *Pantagruel* et *Gargantua* réussit à mettre les rieurs de son côté, les victimes de la satire rabelaisienne n'en demeurent pas moins fort actives et dangereuses. La jovialité conquérante de la saga des géants ne doit pas masquer les menaces qui planent sur les acquis encore fragiles de la rénovation intellectuelle et spirituelle. Confronté à la diffusion des écrits luthériens, le pouvoir religieux se soucie peu de nuances et enveloppe évangéliques et réformés dans une même condamnation. Des manifestations et sermons « anti-luthériens », orchestrés par la Sorbonne, n'hésitent pas à s'en prendre aux personnalités les plus éminentes du royaume : Marguerite de Navarre et le cardinal Jean Du Bellay, figure clé de la politique de François Ier, sont accusés de mol-

---

1. Seuil, p. 247 ; GF, *Pantagruel*, p. 66.

lesse dans leur attitude face à l'hérésie montante. François Iᵉʳ réagit fermement : Noël Béda est exilé à vingt lieues de Paris, et la Sorbonne devra désavouer les théologiens coupables d'avoir suspecté l'orthodoxie du poème de Marguerite de Navarre, le *Miroir de l'âme pécheresse*.

L'année supposée de la publication de *Gargantua* voit se poursuivre agitations et bouillonnements, jusqu'à ce que les novateurs poussent trop loin leur avantage et commettent une erreur décisive. Dans la nuit du 17 octobre 1534, des affiches et livrets dénonçant l' « idolâtrie de la Messe » sont répandus dans tout Paris, et sur les portes mêmes de la chambre du roi. La répression est terrible, assortie d'une cérémonie nationale d'expiation. L' « Enigme en prophétie » du dernier chapitre de *Gargantua* fait-elle écho à ces persécutions, ou le livre était-il sous presse avant les événements ? L'absence de datation précise laisse la question ouverte.

Si l'affaire des Placards, qu'il faut se garder de surévaluer, ne modifie pas substantiellement la politique religieuse de François Iᵉʳ, elle n'ébranle pas moins l'espoir d'une réforme française non schismatique. L'explosion d'intolérance est certes de courte durée, et des tendances à l'apaisement se font sentir dès février 1535. Comment oublier cependant que le « père des lettres » a signé le mois précédent un arrêt interdisant toute activité d'imprimerie ? L'acte sera annulé — grâce notamment à l'influence de Budé et des Du Bellay — mais l'intention n'en est pas moins représentative d'une période à oscillations dangereuses : l'hypothèse évoquée quelque deux ans plus tôt par le prologue bouffon de *Pantagruel* — « si d'adventure l'art de l'imprimerie cessoit ou en cas que tous livres périssent »[1] — n'avait rien au fond que de lucide et de prémonitoire.

---

1. Seuil, p. 213 ; GF, *Pantagruel*, p. 27.

Tensions internationales

Les impératifs de la politique intérieure et de la politique étrangère sont parfois difficilement conciliables : tandis qu'il réprime l'hérésie au sein de son propre royaume, François Ier doit prendre garde à ne pas froisser ses alliés, les princes protestants d'Allemagne, regroupés dans la ligue de Smalkalde. Une lutte farouche oppose en effet la France à l'Empire, doublée d'une rivalité personnelle entre François Ier et Charles Quint. Ce dernier n'est pas loin, dans les années 1520, d'avoir réalisé son rêve de monarchie chrétienne restauratrice du Saint-Empire romain germanique : après avoir recueilli l'immense héritage de quatre maisons princières, il y a joint en 1519 le titre impérial, âprement disputé à François Ier. Meurtrie depuis la défaite de Pavie (1525), la France ne manque pas de dénoncer sous forme de propagande le cynisme expansionniste de l'empereur.

L'épisode de la guerre picrocholine, dans *Gargantua,* multiplie les allusions que les lecteurs un peu au fait des tensions internationales pouvaient difficilement laisser échapper. Si le nom de Picrochole (= « bile amère ») renvoie à la théorie médicale des humeurs et donc à une typologie millénaire, la description de son comportement l'inscrit sans équivoque dans l'actualité politique : « Lequel incontinent entra en courroux furieux, et sans plus oultre se interroguer quoy ne comment, feist crier par son pays ban et arrière-ban... »[1] Référence plus que transparente, puisque l'emblème impérial de Charles Quint se composait de deux colonnes[2] accompagnées de la devise « Plus oultre ». Cette première notation est renforcée par l'ensemble du chapitre 33, où les visées impérialistes de Picrochole se déploient dans un dialogue à la

---

1. Seuil, p. 123 ; GF, *Gargantua,* p. 131.
2. Il s'agissait des colonnes d'Hercule, c'est-à-dire du détroit de Gibraltar.

fois fantasmatique et bouffon. Une fois de plus, la datation problématique de *Gargantua* rend impossible l'estimation exacte du rapport que le récit entretient avec les événements des années 1534-1535. Les conseillers de Picrochole mentionnent en effet le pirate turc Barberousse, qui ne manquera pas, selon eux, de se rendre à leur roi et de se convertir. Or ce dernier, qui a pris Tunis en août 1534, s'est vu arracher la ville un an plus tard par l'immense flotte de Charles Quint. L'entreprise méditerranéenne de l'empereur est-elle visée dans ce chapitre, ou bien Rabelais a-t-il fait preuve d'une surprenante capacité d'anticipation des événements ? La réponse importe peu, au fond, et n'intéresse guère que les érudits. Seule compte l'aptitude de Rabelais à identifier les ressorts délirants de l'impérialisme et à les inscrire dans un personnage auquel les siècles n'ont rien enlevé de sa puissance emblématique.

L'exemple de Picrochole suffirait à montrer que Rabelais n'est pas un simple « témoin de son temps ». S'il est vrai que « rares sont les passages de l'œuvre qui ne reflètent quelque donnée religieuse, politique, littéraire de l'époque »[1], le rapport qu'entretiennent *Pantagruel* et *Gargantua* avec l'actualité ne saurait se réduire à une accumulation factuelle. C'est leur dimension narrative qui donne aux deux textes la possibilité de scruter les ressorts les plus profonds de la vitalité sociale et culturelle qui les a suscités : seul un dispositif imaginaire pouvait se mesurer à une époque qui mêle en d'aussi étranges torsions jubilation et angoisse, sursauts novateurs et crispations régressives.

---

1. Y. Giraud et M. R. Jung, *Littérature française. La Renaissance*, Arthaud, 1972, p. 245.

Le prétexte

Confluences

L'œuvre de Rabelais, et ce n'est pas sa moindre force, orchestre un immense corpus culturel en même temps qu'elle forge un imaginaire puissamment autonome : d'un seul geste elle affiche sa dette à l'égard de la tradition et impose un redéploiement fondateur des rapports de l'homme et du monde. Rabelais est proche de Montaigne à cet égard : tout comme les *Essais*, *Pantagruel* et *Gargantua* invalident la distinction de l'ancien et du nouveau, du substrat livresque et de la radicalité jaillissante du questionnement. C'est pourquoi l'éternelle préoccupation des « sources » doit se garder de toute naïveté positiviste : s'il est toujours utile de repérer méthodiquement les textes et les auteurs mis à contribution par Rabelais[1], il est peut-être plus conforme à la nature de l'œuvre de raisonner en termes d'appropriation, de réfraction ou de distorsion du corpus qu'elle exploite.

Dans cette perspective, on distinguera trois niveaux et modalités de la « dette » rabelaisienne :

— des emprunts de motifs et de structures imaginaires ;
— des reproductions de formes oratoires et de modèles logiques ;
— des allégations ou réminiscences d'autorités (philosophiques, morales, religieuses ou scientifiques).

Emprunts de motifs et de structures imaginaires. — L'inspiration générale de *Pantagruel* et *Gargantua* doit manifestement peu au cycle arthurien et aux romans de

1. Quoique daté, l'ouvrage le plus complet à cet égard est indiscutablement celui de Jean Plattard, *L'œuvre de Rabelais ; sources, invention, composition*, Champion, 1909.

chevalerie médiévaux. Sans doute relève-t-on de nombreuses mentions d'ouvrages, de héros ou d'épisodes appartenant à cette littérature, qui continue de jouir à la Renaissance d'une faveur exceptionnelle auprès d'un vaste public : liste de romans réels ou imaginaires dans le prologue de Pantagruel *(Fessepinte, Orlando furioso, Robert le Diable, Fierabras, Guillaume sans paour, Huon de Bourdeaulx, Montevieille* et *Matabrune)*[1], attribution de tâches dégradantes aux héros du cycle du Graal (l'Enfer décrit par Epistémon montre Lancelot du Lac devenu « escorcheur de chevaulx » et les chevaliers de la Table ronde réduits à la condition de « pauvres Gaignedeniers »), utilisation de formules issues des romans de chevalerie (« Or s'en vont les nobles champions à leur adventure »[2]). Mais ce réseau de réminiscences n'atteste ni l'assimilation d'un imaginaire ni même la simple lecture des ouvrages cités : il semble plutôt que Rabelais ait voulu jouer avec des noms prestigieux inscrits dans la mémoire culturelle, et qu'il ait pris un malin plaisir à les inscrire dans un contexte grotesque et dévalorisant.

L'influence des récits de « prouesses gigantales » paraît autrement décisive. *Pantagruel* avoue d'emblée sa dette à l'égard d'un modèle vendu avec succès aux foires lyonnaises de 1532 : *Les grandes et inestimables Cronicques du grant et enorme geant Gargantua : contenant sa genealogie la grandeur et force de son corps. Aussi les merveilleux faicts darmes* [d'armes] *qu'il fist pour le Roy Artus comme vous verrez cy apres.* Comme le souligne M. Screech[3], l'immense succès de ces *Cronicques* a de quoi surprendre : de toute évidence, il tient moins à la valeur esthétique de l'ouvrage qu'à l'attente d'un public friand d'imaginaire chevaleresque même sous les formes les plus grossièrement parodiques. L'auteur anonyme de cet humble livret

1. Seuil, p. 215 ; GF, *Pantagruel,* p. 29.
2. Seuil, p. 165 ; GF, *Gargantua,* p. 184.
3. Michael Screech, *Rabelais,* Gallimard, 1992, p. 53.

de colportage n'est pas l'inventeur de la légende gargantuine, dont on trouve des traces dans le folklore populaire bien avant 1532 : l'apparition de Gargantua, personnage fabuleux caractérisé par sa stature exceptionnelle, son tempérament débonnaire et son prodigieux appétit, est attestée dès le xvᵉ siècle. Quant au personnage de Pantagruel, Rabelais emprunte son nom à un mystère médiéval, où un démon nommé « Penthagruel » avait pour rôle d'entretenir la soif des buveurs[1].

Outre les noms de Grandgousier, Galemelle et Gargantua, les deux premiers récits de Rabelais ne retiennent guère des *Cronicques,* ouvrage monotone et maladroit, qu'une vague trame générale et quelques épisodes ponctuels. Les emprunts sont facilement identifiables et permettent de mesurer le travail d'élaboration narrative et idéologique accompli par Rabelais : ils concernent plus particulièrement la guerre de Pantagruel contre le roi Anarche (*Pantagruel,* chap. 23 à 31), la description du costume de Gargantua enfant (*Gargantua,* chap. 8 à 10), les exploits de la jument gigantesque qui abat les forêts avec sa queue (*Gargantua,* chap. 16) et l'enlèvement des cloches de Notre-Dame (*Gargantua,* chap. 18 à 20). La simple lecture des épisodes originaux suffit à écarter l'hypothèse, évoquée par certains chercheurs, d'une collaboration plus ou moins importante de Rabelais à la rédaction des *Cronicques.*

L'attribution d'un comparse au géant est sans doute due à l'influence des épopées héroï-comiques italiennes, le *Morgante Maggiore* de Pulci (1481) et les *Macaronées* de Folengo, dit Merlin Coccaïe (1517). Dans l'épopée en latin macaronique de Folengo, le géant Fracasse a pour compagnon le rusé et cynique Cingar, crocheteur de troncs comme le sera Panurge. Transformation impor-

---

1. Dans le *Mystère des Actes des Apôtres,* Penthagruel est ce petit démon « Qui de nuyct vient gecter le sel, / En attendant autres besognes, / Dedans la gorge des yvrognes... »

tante : le géant, de vassal qu'il était chez les auteurs italiens, devient souverain chez Rabelais. Mais une similitude décisive rattache le groupe des protagonistes rabelaisiens à ses devanciers : autour du héros se constitue une équipe d'auxiliaires dont chaque membre incarne une aptitude, une virtuosité ou un talent que les circonstances mettent successivement à contribution. Si Rabelais ne cite jamais Pulci, il mentionne à plusieurs reprises Folengo dans *Pantagruel* : l'imaginaire cocasse et subversif de ce bénédictin en rupture de ban, son ivresse verbale et la virulence de ses satires ne pouvaient que le séduire.

Comme d'autres écrivains de la première Renaissance, Rabelais a subi l'influence sceptique et anticonformiste des dialogues et romans satiriques de Lucien. Il en a conservé une multitude de détails, d'anecdotes, de réflexions narquoises, de thèmes et de situations comiques. Il ne demeure pas moins impossible de cerner la part exacte qui revient au satirique grec dans *Pantagruel* et *Gargantua* : les écrits d'Erasme, largement exploités par Rabelais, ont en effet assuré la diffusion d'un lucianisme revu et corrigé dans la perspective du combat évangélique. Deux épisodes directement inspirés de Lucien méritent cependant de retenir l'attention, parce qu'ils témoignent — s'il en était besoin — de la puissance transformatrice déployée par Rabelais dès *Pantagruel* : il s'agit de la description des Enfers par Epistémon (chap. 30), et du voyage du narrateur dans la bouche de Pantagruel (chap. 32). Le premier épisode vient du dialogue *Menippus seu Necyomantia,* où le tableau de l'au-delà renverse les hiérarchies mondaines et ménage aux philosophes, Socrate et Diogène, une revanche sur les conquérants, Xerxès et Philippe ; si Rabelais conserve le principe du renversement, il en transforme le contenu : tandis que l'*otium* philosophique de la vie future gardait chez Lucien toute sa rectitude terrestre, les philosophes de Rabelais côtoient les fous et les bohèmes dans une éternité de prélassement et de bombance. Comme le fait remarquer Jean

Plattard, « le thème emprunté à Lucien est transformé selon l'esprit de la satire bouffonne et goliarde »[1]. Le second épisode s'inspire de l'*Histoire véritable* : les héros, précipités dans la gueule d'un cétacé monstrueux, y découvraient un monde peuplé de créatures fabuleuses. Tout en réutilisant le cadre du voyage fantastique, Rabelais lui donne une portée philosophico-morale absente de l'original : au fond de l'énorme bouche, Alcofrybas rencontre « un bonhomme qui plantoit des choux », comme si l'inconnu le plus lointain et la plus quotidienne familiarité se rejoignaient dans une ironique involution de l'univers.

Reproductions de formes oratoires et de modèles logiques. — Nombreux sont les passages des deux récits qui empruntent leur structure à la rhétorique classique ou à la dialectique scolastique. Si l'on excepte les cas flagrants de parodie bouffonne, l'utilisation de ces modèles discursifs pose des problèmes fort complexes : elle évolue sur une gamme subtile comprise entre l'objectivation critique des procédés et l'assimilation virtuose qui en consacre la validité intellectuelle.

L'imitation de la rhétorique cicéronienne témoigne bien de cette complexité, dont la notion de pastiche ne peut rendre compte que de manière imparfaite et restrictive. Si Rabelais prend un plaisir manifeste à ces exercices de style, il n'est pas possible de parler, comme le fait Jean Plattard, de morceaux de bravoure plaqués artificiellement sur le récit et étrangers à sa verve : où passe donc la frontière entre le « propre » et l' « étranger » dans un récit rapsodique qui se montre aussi accueillant pour tous les styles et les registres ? Il suffit d'ailleurs de rappeler les occurrences principales de la rhétorique cicéronienne pour y voir tout autre chose que des pastiches ou des tours de force stylistiques sans nécessité interne : lettre de

1. *Op. cit.,* p. 117.

Gargantua à Pantagruel (*Pantagruel,* chap. 8), lettre de Grandgousier à Gargantua (*Gargantua,* chap. 29), harangue de Ulrich Gallet à Picrochole (*Gargantua,* chap. 31) et « concion » (harangue) de Gargantua aux vaincus (*Gargantua,* chap. 50). L'imitation de la rhétorique classique se concentre sur des passages trop décisifs — nous y reviendrons — pour ne pas engager la problématique globale du texte.

L'énumération des procédés repris par Rabelais serait fastidieuse. Rappelons seulement ceux qui impriment aux lettres et harangues précitées le martèlement caractéristique des discours solennels : reproduction de structures syntaxiques latines (Nihil... nisi... ; Ita... quomodo), balancement binaire des périodes (« Ma délibération n'est de provocquer, ains de apaiser, d'assaillir, mais défendre ; de conquester, mais de guarder mes féaulx subjectz et terres héréditaires... », *Gargantua,* chap. 29), accumulation oratoire des questions (« Où est foy ? Où est loy ? Où est raison ? Où est humanité ? Où est craincte de Dieu ? », *Gargantua,* chap. 30).

Entre ces formes de l'éloquence académique et les procédés du raisonnement scolastique, il n'y a pas solution de continuité : les mêmes passages — lettre de Gargantua à Pantagruel ou harangue de Ulrich Gallet à Picrochole — ressortissent à la fois au style cicéronien et à la dialectique médiévale. Bel exemple de *suasoria,* la harangue de Ulrich Gallet apporte un soin particulier à justifier chacune de ses propositions pour faire éclater le caractère scandaleux de l'attaque de Picrochole. Tout le mouvement du discours s'ordonne selon une succession serrée de syllogismes qui amène la vigoureuse injonction finale (« Dépars d'icy présentement... »). Par-delà les occurrences où l'usage de la dialectique répond à la solennité des circonstances, *Pantagruel* et *Gargantua* multiplient les dialogues, interventions du narrateur et récits humoristiques articulés selon les règles de la logique formelle : lamentations de Gargantua sur la mort de sa

femme (« D'un costé et d'aultre il avoit argumens sophisticques qui le suffocquoyent, car il les faisoit très bien in
modo et figura », *Pantagruel,* chap. 3), analyses consacrées à la signification du blanc et du bleu (*Gargantua,*
chap. 9 et 10) où la démonstration purement « logique »
se renforce de l'argument du consentement universel,
conversation de table sur les moines (*Gargantua,*
chap. 40) où Gargantua applique le principe selon lequel
les objets produisant les mêmes effets possèdent les
mêmes propriétés. Une place particulière doit être réser-
vée, dans cette énumération, à la harangue de Janotus de
Bragmardo, maître de la Faculté de théologie (*Gargantua,*
chap. 19) : épisode bouffon où les formules et les structures de la dialectique scolastique s'effondrent dans une
logorrhée d'ivrogne. Remarquons à ce propos que Rabelais n'est nullement l'initiateur de cette veine parodique :
depuis le XIIᵉ siècle, les clercs eux-mêmes s'amusaient à
parodier un appareil logique trop sophistiqué pour éviter
les dérives du formalisme et de la verbosité. Il ne faut
donc pas commettre d'erreur de perspective. Se focaliser
sur la satire antilogicienne et y voir l'instrument d'un prétendu combat « humaniste », c'est manier avec une exces-
sive raideur l'histoire des idées. Et c'est surtout manquer
la complexité du rapport qu'entretiennent *Pantagruel* et
Gargantua avec la dialectique scolastique : Rabelais a
beau caricaturer les « sophistes » qui alignent sempiter-
nellement prémisse, majeure et mineure, son propre texte
n'en atteste pas moins la prégnance intellectuelle d'une
méthode de recherche et de démonstration qui ne sera
vraiment abandonnée qu'au siècle suivant[1].

Allégations et réminiscences d'autorités. — « L'autorité,
écrit Michael Screech, est un concept auquel ceux qui étu-

---

1. Voir à ce propos le livre de Jean Larmat, *Le Moyen Age dans le
Gargantua de Rabelais* (Publication de la Faculté des Lettres et Sciences
humaines de Nice, coll. « Les Belles Lettres », 1973).

dient la Renaissance doivent continuellement revenir. »[1] L'inscription de l'*auctoritas* dans des récits aussi mouvants et déconcertants que *Pantagruel* et *Gargantua* ne pose pas moins de sérieux problèmes : elle s'effectue selon des modalités multiples, et relève d'intentions éminemment variables qu'il n'est pas possible d'analyser en détail. Tantôt le narrateur convoque bruyamment une tradition prestigieuse, et mobilise non sans emphase comique l'appareil rhétorique de l'allégation ; tantôt les références qui émaillent un passage y constituent autant de signaux à destination du lecteur lettré ; tantôt encore les réminiscences s'assourdissent et informent silencieusement tel paragraphe ou tel épisode.

Nombreux sont les passages de *Pantagruel* et *Gargantua* où l'invocation d'auteurs religieux, philosophiques ou scientifiques garantit spécieusement la véracité du récit : des formules récurrentes — « Je vous allègueray l'autorité des Massoretz »[2], « Je trouve par les anciens historiographes et poetes »[3] — ont alors pour fonction d'inscrire les aberrations du récit — grossesse de onze mois, naissance par l'oreille de la mère — dans un réseau séculaire d'attestations, de démonstrations et de preuves.

Ce mode d'allégation ouvertement facétieux et non dépourvu d'insolence — « Hippocrates, Pline, Plaute, Aristoteles (...) et mille aultres folz »[4] — n'empêche pas les récits d'entretenir une relation vivante et dynamique avec les grands auteurs de l'Antiquité païenne. Le fonds culturel mis à contribution par Rabelais est essentiellement constitué de moralistes et d'érudits : il n'est pas foncièrement différent, à cet égard, de celui qui alimentera les *Essais*. Les auteurs de prédilection de Rabelais sont Pline et Plutarque : le premier, parce que son *Histoire naturelle*

---

1. *Op. cit.,* p. 23.
2. Seuil, p. 222 ; GF, *Pantagruel,* p. 36.
3. Seuil, p. 227 ; GF, *Pantagruel,* p. 44.
4. Seuil, p. 47 ; GF, *Gargantua,* p. 49.

offre « un vaste magasin d'anecdotes, de singularités et d'observations »[1] ; le second parce que ses *Apophtegmes,* dans la traduction latine d'Erasme, orientent sa réflexion vers des problèmes de morale concrète.

L'accès de Rabelais à la sagesse antique est fréquemment médiatisé par les traductions et ouvrages aphoristiques d'Erasme. C'est à juste titre que Rabelais a qualifié l'humaniste hollandais de « père » et de « mère », lui attribuant un rôle déterminant dans son propre processus de maturation : le grand recueil des *Adages* lui a fourni un abondant matériau gnomique, souple et multiforme, autour duquel sa pensée s'est cristallisée, et qu'elle a fini par s'assimiler selon le principe d'*innutrition* cher à Du Bellay. Témoin de cette innutrition quasi inconsciente, le personnage de Frère Jean : celui-là même qui prétend que « c'est chose monstrueuse veoir un moyne sçavant » oppose à Gargantua reconnaissant une citation de Socrate reprise par un adage d'Erasme : « Car comment (disoit-il) pourroy-je gouverner autruy, qui moy-mesmes gouverner ne sçaurois ? »[2]

Innombrables sont les références à l'autorité des Ecritures, qu'aucun index ne saurait épuiser : les prologues, la naissance des géants, la lettre de Gargantua à Pantagruel aussi bien que l'épisode des pèlerins mangés en salade (*Gargantua,* chap. 38) multiplient les citations ou allusions. Il serait difficile de trouver un moment stratégique du texte dont le processus de constitution n'enveloppe un ou plusieurs lieux communs scripturaires. C'est pourquoi un relevé « systématique » des références ne présente guère d'intérêt : seuls importent, pour chaque passage étudié, l'indice de réfraction de l'autorité biblique et sa contribution à une nouvelle configuration de sens.

Un exemple suffira à en fournir l'illustration : le programme de la liberté thélémite (*Gargantua,* chap. 57).

1. Jean Plattard, *op. cit.,* p. 120.
2. Seuil, p. 190 ; GF, *Gargantua,* p. 216.

A. Tournon a fort pertinemment montré[1] comment Rabelais, développant l'idée selon laquelle toute loi contraignante provoque la transgression, adaptait à sa manière un passage de saint Paul : « Et le péché, profitant de l'occasion, produisit en moi par le commandement toutes sortes de convoitises ; car sans loi, le péché est mort. Pour moi, autrefois sans loi, je vivais ; mais quand le commandement est venu, le péché a pris vie, et moi je mourus » (Romains, 7-8,9). Tandis que l'apôtre fait de la loi mosaïque le *révélateur* du péché et de l'inclination au mal, Rabelais voit dans l'interdit — la « vile subjection » — la *cause* de l'infraction, le stimulus d'une liberté jalouse de ses prérogatives. L'infléchissement du texte originel est considérable. Comme conclut A. Tournon, le programme thélémite « transpose la théologie morale en analyse éthique », et de ce fait en modifie complètement le sens.

L'autorité scripturaire devient ainsi le tremplin d'une liberté interrogatrice.

Fluctuations

L'importance des variations que subit le texte de *Gargantua* et de *Pantagruel* au fil des éditions n'intéresse pas seulement l'érudit, mais tout lecteur soucieux de ne pas arracher l'œuvre à l'élément actif de ses hésitations et modifications : les remaniements opérés par Rabelais obéissent, en l'occurrence, à une stratégie d'homogénéisation du cycle gigantal et à une tactique d'adaptation ou de réaction aux circonstances.

La première version de *Pantagruel,* dont nous ne savons pas si elle date de 1532 ou 1533, est publiée chez le libraire lyonnais Claude Nourry. Son titre complet est le suivant : *Pantagruel. Les horribles et espoventables faictz*

---

1. A. Tournon, L'abbé de Thélème, *Saggi e ricerche di letteratura francese,* vol. XXVI, 1987.

et prouesses de très renomé Pantagruel, roi des Dipsodes, fils du grand géant Gargantua, composez nouvellement par Maistre Alcofrybas Nasier. Cette édition est rapidement suivie d'une seconde, publiée chez François Juste. De 1534 à 1542, date dite de l'édition « définitive », les modifications apportées par Rabelais au texte de *Pantagruel* seront principalement les suivantes :

— des transformations syntaxiques et stylistiques ;
— une extension non négligeable des énumérations (la liste des livres de la Bibliothèque Saint-Victor est doublée, ainsi que celle des habitants des Enfers) ;
— la modification, dans un souci d'équilibre, de la division des chapitres (l'épisode de Baisecul et Humevesne, par exemple, qui formait un seul chapitre dans l'édition originelle, est scindé en trois chapitres d'égale longueur) ;
— la transformation, à partir de l'édition de 1534, des derniers paragraphes du récit en chapitre à part entière (« La conclusion du présent livre et l'excuse de l'auteur ») : une série d'invectives contre les « cagotz », « caffars » et « hypocrites » constitue désormais l'essentiel de l'adresse au lecteur ; il va sans dire que cette *cauda* agressive témoigne d'un raidissement de l'auteur face aux attaques dont *Pantagruel* a fait l'objet, et qu'elle transforme la tonalité générale de l'œuvre : tandis que la première édition s'achevait sur un « Bonsoir » pétri d'innocente convivialité, la nouvelle conclusion enveloppe rétroactivement le texte dans une intention polémique hargneuse ;
— l'atténuation des railleries contre les théologiens de la Sorbonne, qui s'étaient accentuées dans l'édition de 1534 (les contrepèteries et déformations agressives sur les « Sorbillans, Sorbonagres, Sorbonigènes, Sorbonicoles, Sorboniformes, Sorbonisecques, Niborcisans, Borsonisans, Saniborsans » disparaissent de l'édition de 1542).

Au total, l'évolution du texte de *Pantagruel* procède à la fois d'un durcissement et d'une volonté de compromis inspirée par la prudence : elle reflète la position ambivalente de Rabelais qui, tout en disposant d'appuis solides en la personne des Du Bellay, n'en doit pas moins se méfier du pouvoir de nuisance de la Faculté de théologie.

C'est vraisemblablement en 1534 ou 1535 que paraît, chez François Juste, la *Vie inestimable du grand Gargantua, père de Pantagruel, jadis composée par l'abstracteur de quinte essence. Livre plein de pantagruélisme.* Cette publication a pour conséquence la chute de la mention « fils du grand géant Gargantua » dans le titre de l'édition contemporaine de *Pantagruel* : le « Gargantua » susnommé était en effet celui des *Grandes Cronicques,* et non celui de *Gargantua.* En déplaçant l'accent du rapport de filiation au rapport de paternité, Rabelais efface sa dette et indique sans ambiguïté qu'il prend sous sa responsabilité créatrice les origines de la chronique gigantale. Ainsi *Gargantua* devient tacitement le premier Livre, et *Pantagruel* le second.

La version dite « définitive » de *Gargantua* est celle que publie François Juste en 1542. Les transformations qui affectent le texte entre 1534/1535 et 1542 s'accomplissent selon deux axes directeurs :

— d'une part, comme pour *Pantagruel,* les passages à caractère énumératif ou accumulatif font l'objet d'une extension considérable, à la mesure de l'écho favorable qu'ils ont rencontré chez les premiers lecteurs (les « propos des bien yvres » s'enrichissent au point de former un chapitre à part entière, tout comme les jeux de Gargantua) ;

— d'autre part, les passages les plus subversifs au regard de l'orthodoxie religieuse font l'objet d'une relative neutralisation : l'argumentaire accompagnant la naissance « bien estrange » de Gargantua (« foy est argument des choses de nulle apparence »)[1] se rétrécit prudemment ; les « précepteurs sorbonagres » deviennent les « précepteurs sophistes », et les « Sorbonicoles » se voient attribuer la dénomination latinisée de « magistres ». Reste qu'aucun lecteur dans le contexte des années 1530-1540 n'est dupe de ce repli lexical.

Si la quasi-totalité des éditions modernes de *Pantagruel* et *Gargantua* reproduisent le texte de 1542, il n'en demeure pas moins essentiel d'opérer de fréquents retours aux éditions originelles. C'est tout le mérite, à cet égard, de la collection des « Textes littéraires français », chez Droz, que d'avoir rendu accessibles au lecteur moderne les éditions princeps des deux récits. Loin d'exclure le plaisir du texte, l'examen des ajouts et suppressions éveille l'attention au devenir de l'écriture, et à l'impossibilité d'enclore les mots de Rabelais dans une forme dite « définitive ».

---

1. Ce passage supprimé est rapporté dans les notes de l'édition du Seuil, p. 56.

Le texte

Père et fils ou faux jumeaux ?

Dans quel ordre faut-il lire *Pantagruel* et *Gargantua* ?
La question est bien moins anodine qu'il ne paraît : elle
engage, au fond, un mode d'approche et de problématisation des deux textes.

On sait que le Livre du fils, écrit le premier, est devenu
le second dès lors que Rabelais a envisagé la perspective
d'un cycle romanesque. Le paradoxe veut que cette per-
mutation de bon sens n'aille pas sans illogisme : tout se
passe en effet comme si la préséance normale du père ne
pouvait être respectée qu'au prix d'entorses plus ou
moins flagrantes à la cohérence narrative et idéologique
de l'ensemble. Il est difficile d'admettre par exemple que
Gargantua, soumis dans sa jeunesse à une *ratio studiorum*
exigeante et efficace, se plaigne auprès de son fils de
n'avoir pu profiter de la rénovation générale des lettres et
de la pédagogie : « Encores que mon feu père, de bonne
mémoire, Grandgousier, eust adonné tout son estude à ce
que je proffitasse en toute perfection (...), le temps n'estoit
tant idoine ne commode ès lettres comme est de présent,
et n'avoys copie de telz précepteurs comme tu as eu. »[1] La
simple comparaison des chapitres relatifs à l'éducation
dans *Pantagruel* et *Gargantua* suffit à infirmer les allégations paternelles, et à doter le « passé » d'une indéniable
supériorité sur le « présent » : le cursus du fils, rythmé par
des pérégrinations universitaires peu convaincantes,
semble se dérouler dans une époque bien moins propice
que celle du père à la continuité et à la concentration des
efforts intellectuels. Imagine-t-on un instant le jeune Gar-

1. Seuil, p. 246 ; GF, *Pantagruel*, p. 65.

gantua, passé par l'apprentissage sévère de Ponocrates, proférer devant un tribunal la kyrielle d'inepties et de coq-à-l'âne que dévide allègrement son fils[1]?

D'une manière générale, une rationalité discriminante est à l'œuvre dans le monde de *Gargantua,* qui rend fort improbable l'enchaînement chronologique des deux récits : elle prend la forme d'un « discours de la méthode » en acte qui arrache les grandes opérations humaines — pédagogie, art de la guerre, socialisation — à l'empirisme tâtonnant et les inscrit dans une problématique de l'efficacité. Si cette dimension méthodologique et pragmatique n'est pas totalement absente de *Pantagruel,* elle se combine si chaotiquement à des motifs farcesques que l'époque du fils a toutes les apparences d'une phase régressive.

Il serait risqué d'imputer cette étrange distorsion temporelle à l'inattention ou à la négligence de l'auteur, tout comme il le serait d'ailleurs d'y voir un processus maîtrisé en ses moindres détails. Disons simplement, pour éclaircir cette question difficile, que les deux récits ont su faire tourner à leur plus grand avantage l'ordre contingent de leur parution : par-delà les inévitables atteintes à la vraisemblance, la rédaction à rebours de la saga éclaire puissamment la nécessité recréatrice et transformatrice de l'œuvre. On peut à cet égard reprocher aux études rabelaisiennes d'avoir parfois négligé le fait qu'il existe deux Gargantua[2] : le Gargantua encore partiellement enraciné dans un tuf folklorique et infralittéraire — celui qui peut légitimement écrire à son fils qu'il a connu un temps « ténébreux et sentant l'infélicité » — et le Gargantua entièrement refondu par Rabelais — celui qui vient après Pantagruel et bénéficie des victoires durement acquises sur une tradition obscurantiste. Rabelais, après 1534, n'a

---

1. *Pantagruel,* chap. 13.
2. Tout comme il y a deux Pantagruel : le héros du récit du même nom n'est pas tout à fait celui du *Tiers Livre,* dont l'inaltérable dignité intellectuelle et morale rappelle plutôt Gargantua.

pas poussé l'homogénéisation des deux récits jusqu'à rabattre le premier Gargantua sur le second. Il a laissé du « jeu » au cycle romanesque, inscrivant *Pantagruel* et *Gargantua* dans une temporalité réversible qui fait du père et du fils un des couples les plus curieux de notre littérature. D'un Gargantua à l'autre, l'œuvre s'arrache à son origine populaire pour se doter d'une origine autonome ; mais la seconde n'efface pas la première : le prologue de *Pantagruel* continue de rappeler l'humble extraction de la geste gigantale. L'origine est donc à fois préexistante et élaborée de toutes pièces : elle se perd dans le vaste rire impersonnel de la culture populaire autant qu'elle s'impose comme produit d'un travail d'affinement esthétique et idéologique. Cette ambivalence subtile a pour effet le plus visible d'imprimer des directions opposées à la chronologie interne de la fiction et au processus de maturation organique du texte.

Il ne saurait être question, dans ces conditions, que de pratiquer une lecture *à double sens* de l'histoire du père et du fils. Seule la conscience paradoxale de l'antériorité réciproque des deux récits et de leurs rapports de présupposition mutuelle peut satisfaire aux exigences du texte. Rabelais lui-même semble nous inviter à cette lecture en forme d'aller et retour lorsqu'il ouvre le chapitre 1 de *Gargantua* par cette phrase : « Je vous remectz à la grande chronicque pantagrueline recongnoistre la généalogie et antiquité dont nous est venu Gargantua. »[1] Un cycle romanesque conforme à nos normes de cohérence n'aurait sans doute pas laissé subsister une telle phrase. Il est significatif que Rabelais n'y ait rien changé au fil des éditions : *Gargantua* a beau se présenter comme le récit des origines, sa lecture ne suppose pas moins la connaissance des étapes ultérieures du cycle. Lire *Pantagruel* et *Gargantua* implique un bouleversement de nos habitudes trop étroitement euclidiennes : il faut lire *Pantagruel*

1. Seuil, p. 41 ; GF, *Gargantua*, p. 41.

avant *et* après *Gargantua,* afin de respecter à la fois le temps de la fiction et le temps de la dynamique créatrice.

Une telle lecture a au moins l'avantage de nous faire éviter deux écueils symétriques. D'abord, elle exclut qu'on réduise *Pantagruel* à une ébauche ou un brouillon de *Gargantua.* Il n'est plus acceptable de voir en *Pantagruel,* comme le faisait V.-L. Saulnier, « un ballon d'essai », un « opuscule farcesque où s'intègre, chemin faisant, quelque préoccupation d'apostolat humaniste »[1]. La fécondité des études critiques récemment consacrées à *Pantagruel* rend évidemment inutile la discussion d'un tel point de vue. Une lecture « synoptique » des deux récits montre que chacun d'eux aménage et approfondit selon des modalités spécifiques une *dispositio* narrative commune : si l'on peut admettre que *Pantagruel* n'a pas la sûreté d'allure de *Gargantua,* on doit reconnaître que la complexité de l'histoire du fils ne le cède en rien à celle du père. Inversement, on ne saurait sans dommage réduire *Pantagruel* et *Gargantua* à deux séries jumelles de variations sur une trame commune. Ce serait méconnaître le mûrissement de la problématique générale de l'œuvre : de la naissance de Pantagruel à l'ordre thélémite, la force de questionnement connaît une poussée qui élimine autant d'obstacles qu'elle ouvre de redoutables interrogations.

C'est en gardant présente à l'esprit cette double exigence de lecture qu'il nous faut aborder le problème de la structure des deux textes.

D'un « chaos harmonique »[2] *à l'autre*

Le mythe d'une œuvre monstrueusement hybride, vouée aux errements d'une créativité anarchique, est trop

---

1. Introduction à l'édition critique de *Pantagruel,* « Textes littéraires français », Droz, 1965, p. XXVII.
2. L'expression est empruntée à Michelet, *op. cit.,* p. 386.

sérieusement battu en brèche par le développement récent des études rabelaisiennes pour qu'il soit nécessaire d'y revenir. Qui songerait aujourd'hui à voir en *Pantagruel* ou *Gargantua* une « joyeuse succession d'histoires, vaguement assemblées, mais non dominées par un cadre romanesque »[1]? L'œuvre de Rabelais obéit à une logique narrative qui n'est pas celle du roman du XIXe siècle, et c'est faire preuve d'une singulière désinvolture que de prétendre lui imposer les critères historiquement circonscrits du « cadre romanesque » et de la linéarité de l'intrigue. Comme le fait remarquer Jean Paris, « il en va des récits de Rabelais comme des drames de Shakespeare ou des romans de Dostoïevsky : leur trop célèbre "confusion" ne reflète que notre impuissance à percevoir la logique qui les sous-tend »[2]. Nombre d'analyses ont été consacrées, depuis la parution du livre tonique de Jean Paris, à cette « logique » qui semble entretenir une complicité jubilatoire avec le chaos. Nous y voyons un peu plus, clair désormais dans la « confusion » rabelaisienne : par-delà les ruptures formelles et thématiques que l'œuvre multiplie comme à plaisir, apparaissent les grands principes organisateurs qui dotent *Pantagruel* et *Gargantua* d'une configuration commune. Principes à la fois rigoureux et ouverts, capables de cristalliser d'un récit à l'autre des questionnements différents.

Orées. — Loin de se réduire à des hors-texte, les prologues de *Pantagruel* et *Gargantua* sont des pièces essentielles du dispositif rabelaisien : ils placent l'œuvre au centre d'un débat qui met en présence « producteur » et « consommateurs » de fiction. Des logiques voisines régissent ces deux textes liminaires : le narrateur s'adresse au lecteur — il l'apostrophe, le rabroue, le menace ou le

1. Abraham Keller, *The telling of tales in Rabelais,* « Klostermann, Analecta Romanica », 12, 1963.
2. Jean Paris, *Rabelais au futur,* Seuil, 1970, p. 147.

désoriente — dans un style qui mime la pétulance de l'oralité (« Crochetastes-vous oncques bouteilles? »[1]; « Trouvez-moy livre en quelque langue, en quelque faculté et science que ce soit, qui ayt telles vertus, proprié-tés et prerogatives, et je poieray chopine de trippes »[2]). Disons plus précisément, dans un souci de description fidèle des instances narratives, que l'auteur offre au lec-teur le spectacle d'un narrateur interpellant un « narra-taire » qu'il se plaît à fourvoyer. Il est important en effet de considérer, avec François Rigolot, que « le style des rapports entre narrateur et narrataire est d'une tout autre nature que celui des rapports entre auteur et lecteur », même si « le premier est la condition nécessaire du second »[3]. Chaque prologue est au fond une courte farce, magistralement menée, par le truchement de laquelle se pose le problème du « contrat » de lecture.

Le prologue de *Pantagruel* a fait couler moins d'encre et suscité moins de lectures ingénieuses que celui de *Gar-gantua,* même s'il se révèle à bien des égards aussi com-plexe et déroutant. Comme l'a bien montré Mikhaïl Bakhtine[4], le contexte implicite de ce prologue est celui du champ de foire : le bateleur fait un éloge démesuré de sa marchandise et utilise à cet effet un éventail de ressources rhétoriques qui vont de la modestie la plus obséquieuse à l'injure et à l'imprécation. Bakhtine a clairement réperto-rié ces figures de l'interpellation, en montrant comment le système ambivalent du vocabulaire de la place publique associait la louange à l'injure et ne traçait pas entre elles de frontière distincte. Reste — et c'est l'oubli principal de l'analyse de Bakhtine — que le « cri » du bonimenteur de foire est ici médiatisé par un *texte* qui intègre les éléments

1. Seuil, p. 39 ; GF, *Gargantua*, p. 37.
2. Seuil, p. 215 ; GF, *Pantagruel*, p. 29.
3. François Rigolot, *Le texte de la Renaissance. Des rhétoriqueurs à Montaigne*, Droz, 1982, p. 139-140.
4. Mikhaïl Bakhtine, *L'œuvre de François Rabelais et la culture popu-laire au Moyen Age et sous la Renaissance*, Gallimard, 1970, p. 163-164.

de la culture populaire à sa propre stratégie. Ce qui change tout, ou presque. Car l'ambivalence du prologue tient moins à l'association organique de la louange et de l'injure — fait de culture — qu'à l'étonnante incertitude qui plane sur la figure du « narrataire » — dynamique d'écriture. Le mouvement d'ensemble du prologue mérite à cet égard d'être décrit : l'apostrophe liminaire (« Très illustres et très chevaleureux champions ») ainsi que les trois paragraphes qui suivent assignent à la lecture de la fiction le cadre aristocratique d'une convivialité spiritualisée (« y avez maintesfoys passé vostre temps avecques les honorables dames et damoyselles, leur en faisans beaux et longs narrez »[1]) ; une rupture se produit à partir du quatrième paragraphe, où le narrateur passe brutalement des bienfaits spirituels du récit à ses vertus thérapeutiques les moins ragoûtantes : c'est alors, dans une curieuse volte-face, que les « vérolez et goutteux » deviennent les interlocuteurs du narrateur et que se déploie l'éloge le plus effrontément dithyrambique : « Le monde a bien connu par experience infaillible le grand émolument et utilité qui venoit de ladicte Chronicque Gargantuine : car il en a esté plus vendu par les imprimeurs en deux moys qu'il ne sera acheté de Bibles en neuf ans. »[2] Que sont devenus les « Très illustres et très chevaleureux champions »? Et, comme le demande pertinemment Jean Paris : « Où sommes-nous au juste? Au manoir de Thélème? Ou dans les chambres de sudation, à la Pitié? »[3]

C'est par le biais de cette farce « atopique » que l'auteur s'adresse au lecteur : il n'exige rien de moins de lui que la capacité d'assumer l'incertitude. Tel est au fond le contrat qui lie l'écrivain à son public : l'un fournit la « joye » et « grande chère » de la fiction, l'autre fait montre en échange d'une plasticité qui ne se laisse pas

---

1. Seuil, p. 213 ; GF, *Pantagruel*, p. 27.
2. Seuil, p. 216 ; GF, *Pantagruel*, p. 29.
3. *Op. cit.*, p. 37-38.

désarmer par les multiples volte-face, dérobades et oscillations du récit. La « conclusion du présent livre », au chapitre 34, reviendra sans ambiguïté sur cette dimension contractuelle. A l'objection potentielle d'un lecteur qui lui reproche de se complaire dans les inepties, le narrateur répond : « Sy pour passe-temps joyeux les lisez comme passant temps les escrypvoys, vous et moy sommes plus dignes de pardon qu'un grand tas de sarabovittes, cagotz, escargotz, hypocrites (...) qui se sont desguisez comme masques pour tromper le monde. »¹ C'est dans la mise en regard de deux éthiques de liberté et dans leur fécondation réciproque que la fiction trouve sa pleine résonance.

Le prologue de *Gargantua* déplace les termes de l'ambivalence. L'incertitude ne porte plus cette fois sur la figure du « narrataire » — les « Beuveurs très illustres » et autres « vérolez très précieux » sont clairement désignés comme les destinataires du texte — mais, au moins en apparence, sur le mode de lecture de la fiction. Il n'y a pas, quoi qu'on ait pu imprudemment écrire à ce sujet, contradiction entre les deux grands mouvements du prologue. Sans doute le narrateur, dans son élan initial, recommande-t-il une vigilance herméneutique qui ne se laisse pas duper par les chatoiements espiègles de la fiction (« pas demeurer là ne fault (...) ains à plus hault sens interpréter ce que par adventure cuidiez dict en gayeté de cueur »²), avant de se lancer dans une diatribe contre les aberrations exégétiques qui prêtent aux textes des messages dont leurs auteurs ne sauraient endosser la responsabilité : « Croyez-vous en vostre foy qu'oncques Homère, escrivent l'Iliade et l'Odyssée, pensast ès allégories lesquelles de luy ont calfreté Plutarche, Heraclides Pontiq, Eustatie, Phormute et ce que d'iceulx Politian a desrobé ? »³ Et de conclure malicieusement : « Si ne le

1. Seuil, p. 352 ; GF, *Pantagruel*, p. 186.
2. Seuil, p. 39 ; GF, *Gargantua*, p. 37.
3. Seuil, p. 40 ; GF, *Gargantua*, p. 37-38.

croiez, quelle cause est, pourquoy autant n'en ferez de ces joyeuses et nouvelles chronicques, combien que, les dictant, n'y pensasse en plus que vous, qui par adventure beviez comme moy? »[1] La question provocatrice n'infirme nullement la recommandation d'interpréter « à plus hault sens » : elle la complète en lui donnant la forme d'un paradoxe. La « sustantificque mouelle » ne saurait en effet résider en ces gloses présomptueuses qui créditent absurdement l'écrivain d'une volonté d'allégorisation : elle ne peut être découverte que par le lecteur qui accepte la densité irréductible du « sens litéral » et s'en remet à la joyeuse profession de spontanéité de l'auteur. Telle est la curieuse et très moderne typologie des modes de lecture que le prologue de *Gargantua* met en place : celui qui postule l'existence d'une intention cachée et profonde n'exhume que des signifiés aussi pauvres qu'arbitraires, tandis que celui qui assume la texture folâtre de l'œuvre a le plus de chance de mettre à jour la « doctrine absconce ». Faut-il ajouter — cruellement — qu'un certain nombre d'interprétations « ingénieuses » dont l'œuvre a fait l'objet quatre siècles durant sont purement et simplement invalidées par ces quelques paragraphes liminaires ? Sans doute pourrait-on dire, pour filer la métaphore rabelaisienne, que la « mouelle » ne préexiste pas à l'effort du chien : c'est l'énergie musculaire de l'effort qui la fait advenir, et peut-être n'est-elle rien d'autre en dernier ressort que cette énergie. En ce sens le prologue de *Gargantua* va plus loin que le prologue de *Pantagruel* : il fait appel à la capacité d'appropriation responsable du texte par le lecteur — il érige même ce dernier en artisan de l'*effectuation* du texte[2]. Sur un mode évidemment moins bouffon, Montaigne ne dira au fond rien

---

1. *Ibid.*
2. Voir à ce propos le livre de Michel Charles, *Rhétorique de la lecture* (Seuil, 1977), dont un chapitre (« Une rhapsodie herméneutique ») est consacré à l'analyse du prologue de *Gargantua*.

d'autre : « Un suffisant lecteur descouvre souvant ès escrits d'autruy des perfections autres que celles que l'autheur y a mises et apperçeues, et y preste des sens et des visages plus riches. »[1]

Ouvertures. — *Pantagruel* et *Gargantua* sont enfants d'un siècle où l'idée de clôture ne s'impose pas encore à l'œuvre littéraire. L'*Heptaméron* de Marguerite de Navarre fait jouer une dialectique en droit infinie du récit et du commentaire polémique, tandis que les *Essais* de Montaigne accumulent souvenirs livresques, anecdotes, analyses introspectives, sans s'assigner d'autre fin que l'épuisement de l' « encre » et du « papier ». Le texte littéraire de la Renaissance est clos par nécessité bien plus que par structure.

« Œuvres ouvertes », les récits rabelaisiens sont dépourvus de contours nets. Tout se passe comme si la fiction épique subissait un brouillage en ses deux extrémités : « début » et « fin » échappent à toute tentative de stabilisation. La vaste exposition de *Pantagruel* est significative à cet égard : elle témoigne d'une faculté d'ingestion universelle plus que du désir de doter le récit d'un commencement ponctuel. S'y succèdent en effet l'éloge démesuré d'un livre antérieur (les *Grandes Cronicques*), la généalogie bouffonne du héros et une fantaisie cosmophysiologique. L'événement de la naissance se dissout dans le foisonnement des déterminations — livresques, ataviques, climatiques — qui prescrivent au héros sa singularité. C'est avec une conscience toute moderne de la difficile question du commencement que Rabelais entreprend son premier récit : peut-on assigner une origine qui ne se dérobe aussitôt ? *Pantagruel* répond à cette difficulté par un entrechoquement de genèses qu'enveloppe l'illimitation de l'espace et du temps. Commencement et fin, ces deux mots n'ont guère de sens au regard de l'ambition

1. *Essais,* I, XXIV, PUF, 1978, p. 127.

encyclopédique et dévoratrice du texte. Les ultimes développements de l'épopée burlesque le montrent bien : non seulement le dernier chapitre annonce une kyrielle d'aventures ultérieures — dont aucune ne verra d'ailleurs le jour : « Comment Panurge fut marié, et cocqu dès le premier moys de ses nopces ; et comment Pantagruel trouva la pierre philosophale »[1] —, mais le lecteur est purement et simplement frustré de la fin de la guerre contre les Dipsodes par le séjour du chroniqueur dans la bouche de son maître.

Le début de *Gargantua* obéit à la même ivresse accumulative que celui de *Pantagruel* : prologue du narrateur, évocation des fouilles qui aboutissent à la découverte du tombeau et de la généalogie du géant (chap. 1), poème énigmatique des « Fanfreluches antidotées » (chap. 2). Mais la spécificité du second récit est manifeste dès cette triple entrée en matière : ce n'est plus la vie féconde et multiforme de l'univers qui rend impossible l'assignation de l'origine, c'est l'éparpillement déroutant et contradictoire du langage. Tantôt les mots glissent et se soustraient à toute appréhension univoque, tantôt ils imposent le spectacle de leur compacité indéchiffrable. Quelle est à cet égard la fonction du chapitre 2, bloc verbal erratique constitué de fragments anarchiquement agrégés (« ai ? enu le grand dompteur des Cimbres, / v sant par l'aer, de peur de la rousée »[2]) ? Emblème magnifique de cette puissance de fuite qui caractérise tout le début du récit, le tombeau découvert au chapitre 1 dérobe son extrémité à l'effort des chercheurs : « touchèrent les piocheurs de leurs marres un grand tombeau de bronze, long sans mesure, car oncques n'en trouvèrent le bout par ce qu'il entroit trop avant les excluses de Vienne »[3].

Si *Gargantua* est pourvu en apparence d'une fin plus

1. Seuil, p. 350 ; GF, *Pantagruel*, p. 185.
2. Seuil, p. 43 ; GF, *Gargantua*, p. 44.
3. Seuil, p. 42 ; GF, *Gargantua*, p. 42.

nette que *Pantagruel* — harangue du géant aux vaincus, évocation en forme d'apothéose de l'utopie thélémite —, la même résistance à l'achèvement du récit s'y dessine. Les interprétations contradictoires de l' « Enigme en prophétie » (chap. 58) que fournissent Pantagruel et Frère Jean se juxtaposent en effet à la fin du chapitre, sans qu'aucune d'entre elles puisse prétendre à une pertinence indiscutable. La « fin » du récit ne clôt le cycle guerrier que pour mettre en place une *agonistique du sens* qui amorce de nouvelles aventures.

Inclusions. — L' « ouverture » de chaque récit se double paradoxalement d'une volonté d'inclusion. Fragments d'une totalité qui les dépasse, *Pantagruel* et *Gargantua* sont en même temps des mondes à part entière, autosuffisants et fermés sur eux-mêmes. En témoigne la structure circulaire des deux Livres, fruit d'une élaboration beaucoup plus méthodique que ne peut le laisser supposer l'allure rhapsodique de l'ensemble. Guy Demerson[1] a étudié de près la mise en œuvre du principe d'inclusion — procédé millénaire attesté par la Bible autant que par les textes de l'Antiquité, et qui consiste à répartir les éléments ou motifs analogues selon un dispositif de symétrie concentrique ($A - B - C - D - E_{D\cdot D}' - C' - B' - A'$). Sans doute l'application stricte d'un tel schéma aboutit-elle à une rigidification quelque peu préjudiciable à la mouvance et à la liberté du texte rabelaisien. Il n'en reste pas moins vrai qu'aux deux extrémités de *Pantagruel* et *Gargantua* l'auteur a pris soin de mettre en place une série d'inclusions à la signification essentielle.

Les « faictz et prouesses » de chacun des héros se déploient entre une évocation des origines du monde et une vision eschatologique : chacun des deux récits est encadré par une Genèse et une Apocalypse. Dans *Pantagruel*, l'effet de symétrie est particulièrement manifeste : à

1. Guy Demerson, *Rabelais,* Fayard, 1991, p. 22-23 et 48-49.

l'évocation des héros primitifs qui composent la généalogie du géant (chap. 1) font écho le tableau des fins dernières et le mythe du renversement des puissants
(chap. 30); la correspondance est d'autant plus frappante
que les deux passages adoptent la même disposition verti-
cale (liste des ancêtres de Pantagruel / liste des puissants
déchus) et se renvoient comme en un miroir des noms
appartenant à des épopées et fonds légendaires communs.
Dans *Gargantua,* les deux textes sibyllins des « Fanfreluches antidotées » et de l'« Enigme en prophétie » répondent au même souci d'encadrement : le premier est un
petit traité qui semble évoquer des origines aussi loin-
taines qu'indéchiffrables, tandis que le second suscite, à
titre de simple possibilité herméneutique, un commentaire
eschatologique sur le « decours et maintien de vérité
divine ».

L'analogie des figures d'inclusion s'arrête là néanmoins, car chaque récit peuple sa « genèse » et son « apocalypse » de formes et de significations bien différentes.
Pantagruel, à cet égard, développe dans ses premiers et
ses derniers chapitres une cosmophysiologie bouffonne
dont *Gargantua* n'offre guère d'équivalent. L'épisode final
de la descente du narrateur dans la bouche de son héros
(chap. 32) fait très nettement écho aux circonstances par-
ticulières de la naissance de Pantagruel (chap. 2) : au
monde-corps du début (« furent veues de terre sortir
grosses goutte d'eaue comme quand quelque personne
sue copieusement »[1]) répondent le corps-monde de la fin
et la spatialisation fantastique de la bouche et des organes
du géant (« cheminay bien deux lieues sus sa langue, tant
que entray dedans sa bouche »[2]). L'histoire de Pantagruel
s'inscrit de la sorte entre deux témoignages complémentaires de l'intrication joyeuse du corps et du cosmos.

Si cette dimension fait défaut à *Gargantua,* c'est que la

1. Seuil, p. 224 ; GF, *Pantagruel,* p. 39.
2. Seuil, p. 345 ; GF, *Pantagruel,* p. 178.

dynamique d'ubiquité et d'indéfinition carnavalesque du corps s'y relâche au profit des questions liées à la sociabilité et à l'organisation des groupes humains. On a souvent souligné l'indéniable rapport d'analogie qui relie, par-delà 47 chapitres d'aventures intellectuelles et guerrières, l'évocation finale de Thélème aux propos initiaux des « bien yvres ». Les deux épisodes sont jumeaux dans la mesure où le même principe d'indifférenciation des locuteurs régit l'échange des discours : désir individuel et volonté collective coïncident si bien chez les ripailleurs et les aristocrates thélémites que toute parole singulière y est à la fois symbole et catalyseur d'unité. Mais la convivialité thélémite n'est plus celle des « bien yvres » : tandis que les mangeurs de tripes et les buveurs s'adonnaient à des réjouissances improvisées, suscitées par les grands rythmes de la nature, les promoteurs de Thélème plient le réel à leurs lois, hérissant de formules exclusives l'espace désormais clos de la socialité harmonieuse. Le « paradis » final ne répondrait-il au « paradis » initial que pour en signifier la perte ?

On le voit, la comparaison des procédés d'inclusion propres à chacun des deux récits se révèle riche d'enseignement. L'encadrement des aventures de Pantagruel par des épisodes symétriques traduit la surpuissance d'une vie organique qui enveloppe aussi bien l'histoire particulière du héros que l'Histoire générale des hommes : tous les événements, des accidents climatiques à l'affrontement des peuples, viennent se ranger sous le paradigme des échanges corporels. Il en va tout autrement dans *Gargantua*. La symétrie n'y témoigne plus de l'enroulement jubilatoire du monde sur lui-même : elle devient la forme dans laquelle le devenir acquiert évidence et lisibilité. Selon un procédé bien connu, la répétition sert de révélateur aux différences et aux mutations : entre la fraternité des « bien yvres » et la communauté thélémite s'est accomplie l'émergence d'un vaste dispositif d'interventions, médiations et régulations humaines. Début et fin du Livre appartiennent à des univers mentaux et culturels bien éloignés : l'arrachement aux cycles de la nature a inauguré à la fois l'ivresse de la liberté inventive et les angoisses d'un questionnement abandonné à lui-même.

Diptyques. — Chacun des deux récits forme un diptyque dont la lettre de Gargantua à Pantagruel trace le programme sommaire : « Somme, que je voy un abysme de science : car doresnavant que tu deviens homme et te fais grand, il te fauldra yssir de ceste tranquillité et repos d'estude, et apprendre la chevalerie et les armes pour défendre ma maison et nos amys secourir en tous leurs affaires contre les assaulx de malfaisants. »[1] Prouesses intellectuelles, prouesses guerrières : l'injonction paternelle rappelle au fils les deux grandes modalités de l'affirmation de soi, en même temps qu'elle réduit à sa plus extrême simplicité structurale l'agencement narratif des deux Livres. Cette bipartition, naturellement trop schématique pour rendre compte de la configuration des deux récits, a néanmoins valeur heuristique : elle attire l'attention sur le principe de l'organisation binaire et incite à découvrir les complexités de sa mise en œuvre.

S'agissant de *Pantagruel,* la répartition des épisodes en fonction des termes du programme paternel aboutirait à la division suivante :

— études et prouesses savantes : chap. 5 à 22 ;

→ transition : annonce de l'invasion du royaume d'Utopie par les Dipsodes et départ de Paris (chap. 23/24) ;

— guerre et triomphe final : chap. 25 à 31.

Une telle bipartition a deux inconvénients évidents. D'abord, elle valorise à l'excès le rôle de Pantagruel et ne tient pas compte du ferment de désorganisation que

1. Seuil, p. 248 ; GF, *Pantagruel,* p. 67.

Panurge introduit dans le séjour parisien du héros. Ensuite, elle masque la continuité des frasques et tours de force panurgiens : de la rencontre placée sous le signe d'un polyglottisme vertigineux (chap. 9) à la stupéfiante résurrection d'Epistémon (chap. 30), une même virtuosité manipulatrice est à l'œuvre, qui transcende la diversité des lieux et des situations.

En fait, *Pantagruel* déploie un diptyque dont les deux volets se chevauchent partiellement. Un cycle débute, alors que le précédent n'a pas encore atteint son terme : le premier déroule une série d'épisodes où l'obscurité des codes utilisés déjoue les capacités de compréhension des personnages et/ou du lecteur ; le second égrène les manifestations de l'ingéniosité humaine et de l'aptitude des héros à relever les défis d'un monde hérissé de chiffres et d'embûches. Les chapitres 9 à 24 constituent ainsi une vaste zone d'intersection, véritable « plaque tournante » du récit qui neutralise l'effet de coupure dû à l'irruption de la guerre (voir tableau p. 52).

Ce chevauchement subtil des deux cycles montre, s'il en était besoin, que *Pantagruel* échappe à la logique rudimentaire de la juxtaposition d'épisodes. C'est moins la nature des domaines d'activité du géant — science et guerre — qui commande l'organisation du récit que l'émergence et la contagion d'une virtuosité manipulatrice, apte à ruser avec les contraintes du réel : du désarroi éprouvé devant l'écolier limousin au stratagème employé pour tromper les Dipsodes[1], Pantagruel aura non seulement appris à ne plus se raidir devant les « motz espaves », mais à les combiner et à en jouer sur la grande mer du monde.

C'est d'une tout autre manière que *Gargantua* relativise la coupure due au déclenchement des hostilités et échappe au fruste diptyque éducation/guerre. L'ensemble d'épisodes consacré à l'éducation fait lui-même l'objet d'une

---

1. Seuil, p. 323-324 ; GF, *Pantagruel*, p. 154-155.

CYCLE DE L'INTELLIGIBILITÉ COMPROMISE	CYCLE DE LA RUSE ET DE L'INGÉNIOSITÉ
— le français latinisé de l'écolier limousin (chap. 6)	
— la liste bouffonne des livres de la Bibliothèque Saint-Victor (chap. 7)	
— le polyglottisme de Panurge (chap. 9)	— la virtuosité linguistique de Panurge (chap. 9)
— le différend incompréhensible de Baisecul et Humevesne (chap. 10, 11, 12)	— le règlement du différend Baisecul-Humevesne par Pantagruel (chap. 13)
	— « Comment Panurge racompte la manière comment il eschappa de la main des Turcqs » (chap. 14)
	— les hâbleries et frasques de Panurge (chap. 15, 16, 17)
— la proposition de Thaumaste de « disputer par signes » et l'inquiétude de Pantagruel (chap. 18)	
	— la victoire de Panurge sur Thaumaste (chap. 19, 20)
	— la vengeance de Panurge, amoureux éconduit (chap. 22)
— le rébus envoyé par une dame parisienne à Pantagruel (chap. 24)	— la résolution du rébus par Panurge (chap. 24)
	— le massacre des 660 chevaliers ennemis (chap. 25)
	— le stratagème de Pantagruel, qui laisse croire à son prisonnier qu'il dispose d'une armée sur mer (chap. 28)
	— la résurrection d'Epistémon par Panurge (chap. 30)

organisation en diptyque, déterminée par une coupure essentielle : la rencontre manquée de Gargantua et du jeune page Eudémon (chap. 15) — incident de part et d'autre duquel se déploient les tableaux contrastés de l'éducation obscurantiste et de la pédagogie éclairée. Deux grandes ruptures scandent donc le récit, provoquant l'une et l'autre l'arrachement du héros à son milieu familier : la première est la mise en scène des qualités oratoires et conviviales d'Eudémon, qui fait éclater l'inanité et le scandale des méthodes « sophisticques » ; la seconde est la confrontation des fouaciers et de leur roi Picrochole (chap. 26), lequel entre « incontinent en courroux furieux » et devient la proie d'une folie dévastatrice rebelle à toute invocation raisonnable. Une fonction commune est dévolue à ces deux chapitres : clore une période de sédentarité potentiellement (ou effectivement) dommageable à l'intégrité du héros, et ouvrir un théâtre d'actions plus vaste que le précédent. Gargantua quitte en effet, après le chapitre 15, un univers de manuels scolaires et de techniques d'apprentissage qui n'ont réussi qu'à le rendre « fou, nyays, tout resveux et rassoté », de même qu'il abandonne, après le chapitre 26, un séjour parisien qui finirait par dissoudre sa verve gigantale dans une rationalité éducative sans failles. On n'a pas assez remarqué à quel point ces deux épisodes, que tout sépare en apparence, se réfléchissent l'un l'autre dans un jeu de similitudes qui nous éclaire sur la composition du récit. Chacun d'eux prend la forme d'une confrontation où l'une des parties exhibe devant l'autre une série de signes corporels et verbaux : Eudémon s'adresse au jeune Gargantua en accompagnant son discours d'une véritable syntaxe gestuelle, et les fouaciers montrent « leurs paniers rompus, leurs bonnetz foupis froissés, leurs robes dessirées (...) disans le tout avoir été faict par les bergiers et mestaiers de Grandgousier »[1]. Même alliance spectaculaire du corps et de la parole dans les deux textes, même inaptitude du « spectateur » au décryptage pertinent : Gargantua, enlisé dans une éducation barbare, ne comprend pas plus l'irruption de l'impeccabilité mondaine que Picrochole ne prend la peine de reconstituer équitablement la logique des faits. Dans les deux cas, la vision *fascinée,* incapable d'approfondissement et de compréhension, ne peut avoir d'autre issue qu'une brusque décharge affective — pleurs du jeune géant, « courroux furieux » du monarque.

La progression de *Gargantua* est ainsi assurée par des scènes de crise dont l'apparentement subtil homogénéise le récit. De l'éducation au surgissement de la guerre, la brutalité de la coupure n'est qu'apparente : les larmes de Gargantua ont préparé en un sens la folie picrocholine. Par-delà d'évidentes dissemblances thématiques, un même principe d'articulation commande les deux grands diptyques du récit (mauvaise éducation / bonne éducation et éducation/guerre) : dans les deux cas, la paralysie de l'échange a valeur de pivot, imposant de nouveaux horizons à la pensée et à l'action des personnages.

Parallélismes et entrelacements. — Si le titre de chaque récit privilégie la figure du géant, le développement narratif n'en assure pas moins la promotion d'un personnage dont l'énergie singulière tire à soi le centre de gravité actantiel de la fiction : quelles que soient les relations de joyeuse complicité qui unissent Pantagruel et Panurge d'une part, Gargantua et Frère Jean d'autre part, un rapport de concurrence s'instaure de fait entre les protagonistes, qui menace le récit d'oscillation ou d'indécision. Risque incontestablement minimisé dans *Gargantua,* où le personnage de Frère Jean, suscité par la guerre picrocholine, est annexé à la geste gargantuine et ne déroge pas à sa précieuse fonction d'adjuvant. En revanche, les liens plus lâches que tisse *Pantagruel* entre le géant et son acolyte permettent à ce dernier de mener une vie indépendante et de s'ériger en héros d'aventures autonomes.

Tout se passe en effet comme si le statut de Panurge, du chapitre 9 au chapitre 24 de *Pantagruel,* n'était pas rigoureusement fixé, et qu'une fois le personnage entré en scène l'auteur ne maîtrisait plus ses évolutions capricantes et imprévisibles. Jusqu'au départ pour le pays d'Utopie, le géant et son « disciple » — mais lequel, au vrai, est le « disciple » de l'autre? — sont tour à tour entraînés dans des aventures indépendantes où se perd le fil principal de la fiction. Une sorte de partie de cache-cache semble s'engager entre les deux protagonistes : après la rencontre du chapitre 9, Panurge disparaît purement et simplement, occulté par la « controverse merveilleusement obscure et difficile » des seigneurs Baisecul et Humevesne et par le rôle de premier plan qu'y joue Pantagruel. Le lecteur soucieux de continuité ne peut s'empêcher de penser que l'épisode de la rencontre interrompt inutilement le cycle des prouesses savantes de Pantagruel, et qu'il eût été plus logique de l'insérer entre les chapitres 13 et 14. A partir du chapitre 16 jusqu'au chapitre 22, l'occultation du géant par Panurge devient systématique : Pantagruel est absent des chapitres 16 et 17, relégué au rang de spectateur muet par le brio de son « disciple » (chap. 18, 19 et 20), dépossédé enfin de ses prérogatives de personnage principal par le narrateur qui choisit de rapporter les amours de Panurge plutôt que les siennes (chap. 21 et 22). Curieux fonctionnement que celui du couple formé par Pantagruel et Panurge tout au long du séjour parisien : les deux personnages n'agissent jamais *de concert* — il suffit que l'un des deux déploie une activité quelconque pour que l'autre soit condamné à l'absence ou réduit à une passivité spectatrice. Seule la guerre mettra fin à ce parallélisme en inscrivant les deux protagonistes dans une communauté d'actions. Est-ce à dire que le premier récit de Rabelais domine mal la relation du héros et de son adjuvant, et qu'il se laisse déborder par la vitalité usurpatrice de ce dernier ? La question — l'une des plus troublantes que suscite la lecture de *Pantagruel* — ne peut se poser dans ces termes mécaniques : elle appelle, on le verra, une analyse du système de valeurs propre à chacun des personnages.

Gargantua, de toute évidence, a pris la mesure du déséquilibre provoqué par la dualité actantielle de *Pantagruel* : la survenue du joyeux acolyte et ses mouvements seront beaucoup plus fermement assujettis au corps principal de la narration. Une stricte alternance de parallélismes et de convergences va régler les rapports de Frère Jean et du géant : tantôt le moine agira en solitaire, tantôt — et cette seconde modalité de son action est quantitativement plus importante — ses prouesses se fondront dans la stratégie globale de Grandgousier et Gargantua[1]. Le tableau ci-contre montre que Frère Jean ne possède nullement l'autonomie d'un Panurge, et que ses coups d'éclats individuels sont suivis, selon un schéma récurrent, d'une cérémonie festive qui consacre bruyamment l'appartenance du personnage au groupe (voir tableau p. 57).

Tenu en lisières Frère Jean ne peut comme Panurge devenir le héros d'un « roman dans le roman » : l'épopée gargantuine conserve une homogénéité d'ensemble qui interdit les ramifications centrifuges. Reste que cette régulation soigneuse des allées et venues du moine n'a pas valeur de neutralisation : intégré au dispositif épique, Frère Jean n'en possède pas moins une force d'ébranlement des usages et idées reçues qui fait de lui le double — certes tempéré — de Panurge.

Comment comprendre que chacun des récits accorde une place si essentielle au personnage qui introduit la folie et la déraison ? Quelle logique sous-tend l'indéfectible association du « sage » et du « fou » ?

---

1. Notons cependant que Frère Jean, même enrôlé dans la petite troupe, fait montre d'une frénésie belliqueuse qui contraste singulièrement avec les évaluations raisonnables d'un Gargantua (cf. chap. 48).

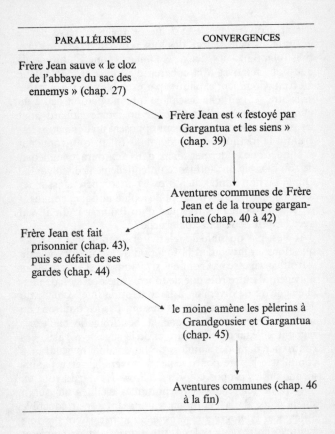

PARALLÉLISMES	CONVERGENCES
Frère Jean sauve « le cloz de l'abbaye du sac des ennemys » (chap. 27)	
	Frère Jean est « festoyé par Gargantua et les siens » (chap. 39)
	Aventures communes de Frère Jean et de la troupe gargantuine (chap. 40 à 42)
Frère Jean est fait prisonnier (chap. 43), puis se défait de ses gardes (chap. 44)	
	le moine amène les pèlerins à Grandgousier et Gargantua (chap. 45)
	Aventures communes (chap. 46 à la fin)

Le géant et son trouble-sagesse

Les rapports de complicité et d'affection qui se nouent entre le géant et son joyeux compagnon impliquent la coexistence pour le moins problématique de deux *ethos* éminemment dissemblables : qu'il s'agisse de Panurge ou de Frère Jean, il est difficile d'inscrire la conduite du tonitruant acolyte dans le système de règles observé par le géant et les siens. Surgit dès lors, à raison de la consécration fulgurante des deux personnages, une multitude de questions relatives à la cohérence éthique et idéologique du récit. Comment expliquer par exemple que Gargantua, « institué (...) en telle discipline qu'il ne perdoit heure du jour »[1], se prenne d'amitié pour un moine gaillard dont les propos et le comportement opposent un démenti si flagrant à la méthode de Ponocrates? Et surtout, comment expliquer que ce dernier tolère dans l'entourage immédiat de son disciple une influence potentiellement dissolvante? Quant au bon Pantagruel, pressé par son père d'assimiler les « beaulx textes » de la philosophie antique, comment ne voit-il pas que les frasques d'un Panurge cadrent mal avec l'esprit de la lettre paternelle?

Il n'est pas possible de relativiser l'importance de telles questions en invoquant la fonction d'exutoire dévolue au « trouble-sagesse »[2], comme si Panurge et Frère Jean n'avaient d'autre rôle que de fournir une occasion de relâchement ou de diversion à la contention intellectuelle du géant. Les deux personnages ne sont pas les bouffons du roi : ils entendent bien que la bouffonnerie et l'excès règnent à l'égal de la mesure et de la sagesse royales. Les cantonner dans des emplois de faire-valoir reviendrait à commettre le pire contresens : à travers la verve panurgienne ou les propos colorés de Frère Jean, c'est tout un univers de références et de pratiques inédites qui surgit sur la scène de la fiction en y imposant son irréductible différence. *Pantagruel* et *Gargantua* apparaissent dès lors écartelés entre deux pôles antithétiques — deux manières d'être au monde qui possèdent autant de titres à la reconnaissance du lecteur.

Paradoxe remarquable : la notion de groupe ne s'impo-

---

1. Seuil, p. 106 ; GF, *Gargantua,* p. 117.
2. J'emprunte cette heureuse expression à l'article d'A. Tournon, L'abbé de Thélème, *op. cit.,* p. 205.

serait pas avec autant de force si le petit monde relationnel du géant n'était soumis à cette polarité éthique. La
différence est source d'unité vivante et dynamique : sans
Panurge et Frère Jean, le mot de « compagnon » ne
résonnerait peut-être pas avec la même énergie chaleureuse. En instaurant un rapport de réciprocité entre ferment de trouble et principe de rassemblement euphorique, les deux récits font de la petite troupe une
communauté à la fois *une* et fortement différenciée. Toute
la question est donc de savoir comment se négocie, dans
Pantagruel et *Gargantua,* l'opposition des valeurs et des
règles de comportement : l'exploration du contrat implicite et mouvant passé entre le « sage » et le « fou »
nous introduira à la dimension dialogique de l'univers
rabelaisien.

Figures de l'écart. — L'apparition et la promotion
rapide de Panurge et de Frère Jean s'effectuent selon des
procédures semblables à plus d'un titre. La mise en scène
des deux personnages est régie en effet par une double
figure de l'écart : écart qui les distingue du groupe dont ils
deviennent membres, écart entre leur être « réel » et ce
que leur apparence laisse supposer. Un rapport de nécessité unit ces deux figures de l'écart : c'est en restant maître
du jeu de l'être et de l'apparence — en refusant à la rhétorique du géant le droit de le figer dans un lieu commun —
que l'acolyte affirme sa spécificité et règle sur un mode
original la question de son appartenance au groupe.

L'épisode de la rencontre de Pantagruel et Panurge en
offre une illustration remarquable. D'emblée, l'interrogation déictique du géant (« Voyez-vous cest homme qui
vient par le chemin du pont Charanton ? »[1]) exhausse la
personne du nouveau venu en la créditant d'une densité
biographique peu commune : « Par ma foy, il n'est
pauvre que par fortune, car je vous asseure que, à sa phy-

---

1. Seuil, p. 249 ; GF, *Pantagruel,* p. 69.

sionomie, Nature l'a produict de riche et noble lignée, mais les adventures des gens curieulx le ont réduict en telle pénurie et indigence. »[1] Frappé par l'allure atypique du promeneur, Pantagruel ne peut s'empêcher néanmoins de ranger sous un paradigme littéraire l'objet de son étonnement : il faut savoir en effet que dans le système d'implicites culturels de la première moitié du XVIᵉ siècle, la simple mention des déboires infligés aux « gens curieulx » a valeur de référence aux aventures d'Ulysse. L'énigme de la discordance entre « physionomie » et aspect extérieur se résorbe ainsi dans une topique littéraire et morale. Il ne reste plus alors à Pantagruel, une fois le nouveau venu inscrit dans une typologie, qu'à exiger de lui le récit de ses aventures singulières : « Pourtant, mon amy, dictes-moy : Qui estes-vous ? Dont venez-vous ? Où allez-vous ? Que quérez-vous ? Et quel est vostre nom ? »[2] On ne saurait aller plus loin dans l'imposition subreptice des prémisses et des procédures du dialogue : ayant tacitement posé en postulat l'analogie de Panurge et d'Ulysse, Pantagruel enserre son interlocuteur dans un réseau de questions dont il n'attend que la confirmation de son intuition première.

Or, c'est précisément cette forme bienveillante de l'assignation à comparaître que Panurge refusera d'un bout à l'autre du chapitre. Tout se passe en effet comme si le personnage, dans le saut d'une langue à une autre, s'évertuait à maintenir béante une énigme que le géant a trop rapidement recouverte sous un lieu commun culturel. C'est en se dérobant à l'assignation que le bateleur-polyglotte réactive l'écart neutralisé par l'humaniste : quelque extraordinaire que puisse être le récit de ses aventures, il sait que le fonds de sagesse classique de son interlocuteur en a par avance délimité la place et désamorcé l'effet ; il ne lui reste donc qu'à situer sa réponse *ailleurs,* et à signifier sa singularité

1. *Ibid.*
2. Seuil, p. 252 ; GF, *Pantagruel*, p. 68-69.

sur un mode protéiforme qui désarçonne le questionneur. A un assaut interrogatif trop sûr de lui, il répond par une puissance de fuite étourdissante. Tel est l'acte de naissance de Panurge dans le cycle gigantal : non pas la déclinaison banale d'une identité et d'une trame biographique, mais une série de sauts et gambades goguenards.

Etrange est à cet égard la réaction du géant ridiculisé : « je vous ai jà prins en amour si grand que, si vous condescendez à mon vouloir, vous ne bougerez jamais de ma compagnie, et vous et moy ferons un nouveau pair d'amitié telle que feut entre Enée et Achates »[1]. Faut-il croire qu'il existe un *eros* de la parole qui transcende l'incompréhension linguistique ? L'hypothèse en l'occurrence est plus que vraisemblable : c'est en effet la virtuosité de Panurge, son aptitude à créer à lui seul une situation babélienne, qui cristallise l'affection du géant. Le retardement ludique de la communication devient paradoxalement le conducteur de sympathie le plus efficace.

Mais la réaction de Pantagruel est remarquable à un second titre. Le géant ne peut s'empêcher décidément d'appréhender la situation sous les espèces d'une mythologie à résonance morale : après l'allusion à Ulysse, voici la mention d'Enée et d'Achate. Qu'est-ce à dire, sinon que Pantagruel entend une fois de plus assimiler la singularité du nouveau venu à son propre système de références, et donc réduire l'inconnu au connu ? A cette nouvelle tentative d'appropriation, Panurge résistera comme il a résisté à la première : il ne sera pas plus l'Achate d'un nouvel Enée qu'il n'a accepté d'endosser le rôle d'Ulysse aux yeux d'un public apitoyé. Il est significatif qu'aux visées réductrices de l'emblématisation mythologique il oppose la revendication de son nom : « Seigneur, dist le compaignon, mon vray et propre nom de baptesme est Panurge. »[2] Il ne refuse certes pas d'accompagner le géant

1. Seuil, p. 255 ; GF, *Pantagruel,* p. 73.
2. Seuil, p. 255 ; GF, *Pantagruel,* p. 73.

— ventre fait loi — mais il entend demeurer libre de ses agissements, comme la suite des chapitres parisiens le montrera.

C'est donc un jeu relationnel complexe qui s'instaure entre les deux protagonistes dès l'épisode de la rencontre. La tactique panurgienne combine subtilement la séduction et l'esquive : affamé et sans gîte, le personnage ne se plie pas pour autant à la loi rhétorique et au sentiment captatif de son bienfaiteur potentiel ; en s'agrégeant au petit groupe, il n'a pas l'intention d'en rabattre le moins du monde de sa singularité insolente. On comprend mieux dès lors l'oscillation des chapitres 9 à 22 : il faut la porter à l'actif du rapport ambivalent qui se noue entre Pantagruel et Panurge, plutôt qu'y voir un signe d'indécision. Le nouvel acolyte veut rester maître de ses écarts autant que de ses mouvements de participation effusive : l'exercice sautillant de ce libre arbitre interdit tout naturellement la progression linéaire de l'intrigue.

Il y a plus d'une consonance entre l'épisode de la rencontre de Panurge et le banquet qui réunit pour la première fois Gargantua, Frère Jean, Grandgousier, Ponocrates, Eudémon et Gymnaste. Sans doute le bon moine n'est-il pas porteur des virtualités inquiétantes qui semblent grouiller chez Panurge. Mais la structure de la situation inaugurale est globalement identique. De même que Pantagruel avait mis en évidence, à la vue de Panurge, le contraste de la physionomie distinguée et de l'allure pitoyable, de même l'un des participants au banquet fait état d'une discordance étonnante entre le statut social de Frère Jean — connoté négativement au sein de ce *convivium* humaniste — et la réjouissante idiosyncrasie du personnage : « Foy de christian ! (dist Eudémon), je entre en grande resverie, considérant l'honnesteté de ce moyne, car il nous esbaudist icy tous. Et comment donc est-ce qu'on rechasse les moynes de toutes bonnes compaignies, les appellans trouble-feste, comme abeilles chas-

sent les freslons d'entour leurs rousches? »[1] A la question
d'Eudémon, Gargantua répond par le développement
d'une topique humaniste dont la négativité critique sert
de repoussoir au portrait élogieux de Frère Jean : tandis
que le commun des moines « ne laboure comme le pai-
sant, ne guarde le pays comme l'homme de guerre, ne
guérist les malades comme le médicin, ne endoctrine le
monde comme le bon docteur évangélique et pédagoge »,
l'hôte de Grandgousier « n'est point bigot », est
« honeste, joyeux, (...) bon compaignon », « travaille »,
« défent les opprimez », « conforte les affligez »[2]. Cette
opposition — quelque peu pontifiante et rhétorique —
entre l'inutilité sociale des ordres monastiques et les qualités morales et psychologiques de Frère Jean a valeur
d'appropriation symbolique du personnage : en faisant
du moine l'exception qui confirme la règle, Gargantua
assigne aux débordements du nouveau venu une place
dans sa propre vision du monde ; sa remarquable maîtrise
du discours lui permet d'assujettir l'irruption de l'inattendu à des schèmes conventionnels.

Mais le moine n'est pas plus domptable que Panurge.
A l'énumération de ses qualités, il répond malicieusement
par une surenchère qui détruit l'effet édifiant du discours
de Gargantua : « Je foys (dist le moine) bien dadvantaige,
car, en despeschant nos matines et anniversaires on
cueur, ensemble je fois des chordes d'arbaleste, je polys
des matraz et guarrotz [*des carreaux et des flèches*], je foys
des retz et des poches à prendre les connis [lapins]. Jamais
je ne suis oisif. »[3] En fait de piété et de bonnes œuvres, le
braconnage : l'éloge solennel prononcé par Gargantua
paraît soudain risiblement déplacé. Mais Frère Jean va
plus loin dans la résistance aux tentatives de captation
humanistes : il se soustrait à la catégorie de l'écart dans

1. Seuil, p. 161 ; GF, *Gargantua,* p. 177.
2. Seuil, p. 161-162 ; GF, *Gargantua,* p. 178-179.
3. Seuil, p. 162 ; GF, *Gargantua,* p. 179.

laquelle ses interlocuteurs voudraient l'enfermer. Fait révélateur : à aucun moment pendant la conversation du chapitre 40 (« Pourquoy les moynes sont refuys du monde... ») le personnage ne se fait l'écho de la diatribe antimonastique développée par Gargantua ; il entend demeurer avant tout un moine, et c'est paradoxalement une revendication d'autonomie que d'affirmer sa soumission à un statut dont le discours des autres voudrait le désolidariser. Le « froc » de Frère Jean est l'emblème éclatant de cette revendication : après avoir refusé de s'en défaire durant le banquet (« Mon amy (...), laisse-le moy, car par Dieu ! je n'en boys que mieulx... »[1]), le moine se débarrasse, au début des opérations militaires, des pièces d'armure dont Gargantua et les siens l'avaient revêtu contre son gré (« car il ne vouloit aultres armes que son froc davant son estomach et le baston de la croix en son poing »[2]). Si l'habit ne fait pas le moine, l'exemple de Frère Jean montre que le moine peut faire de l'habit l'instrument d'une affirmation de soi et d'un mode d'être original.

Les rapports de Frère Jean et de la petite troupe gargantuine sont aussi complexes et ambivalents, au total, que ceux qu'entretiennent Panurge et Pantagruel. Moine atypique, Frère Jean n'en refuse pas moins de se reconnaître dans l'atypicité que le discours de Gargantua lui tend comme un miroir : à l'instar de Panurge, il se dérobe aux appropriations discursives. Il sait — ou il sent — que la rhétorique du géant est trop polie pour rendre compte de son impertinente plasticité et ne pas la menacer subrepticement. Aussi entend-il rester maître des liens qui l'unissent à sa communauté d'origine et à sa communauté d'adoption : trublion belliqueux chez les moines, il est un moine égrillard et inassimilable chez les humanistes. Cette double relation d'appartenance contestataire (ou de con-

1. Seuil, p. 158 ; GF, *Gargantua*, p. 174.
2. Seuil, p. 164-165 ; GF, *Gargantua*, p. 183.

testation participative) est le garant le plus sûr de sa
liberté.

La parenté structurale des épisodes d'intronisation de
Panurge et Frère Jean n'ôte rien naturellement aux dissemblances des deux personnages. Frère Jean est déterminé par une appartenance communautaire plus pré-
gnante que ne le laisse supposer sa verve irrespectueuse ;
Panurge, lui, n'appartient qu'au monde interlope de la
rue. Les bouffonneries du premier sont pétries d'innocence, tandis que le second ne laisse pas d'inquiéter,
avouant même à l'occasion qu'il a eu quelque commerce
avec les puissances démoniaques[1]. Il ne saurait donc être
question de superposer les couples Pantagruel-Panurge et
Gargantua-Frère Jean. S'il est vrai que l'acolyte est
l' « autre » du géant, Panurge ne l'est évidemment pas de
la même façon que Frère Jean. La place et la fonction res-
pective des deux trouble-sagesse donnent — nous allons
le voir — des orientations différentes quoique complémentaires à la problématisation de l'altérité dans les deux
récits.

Voleur et philosophe. — Le surgissement de Panurge au
chapitre 9 de *Pantagruel* ne relève qu'en apparence de
l'arbitraire. Un examen attentif montre que les chapitres
précédents ont subtilement posé les conditions d'entrée en
scène du personnage, en délimitant négativement l'espace
offert à l'exercice de sa virtuosité : Panurge agira là où
Pantagruel ne peut le faire.

A cet égard, le chapitre 9 ne peut être dissocié de l'épisode de l'écolier limousin, avec lequel il entretient plus
d'un rapport d'analogie. On se souvient qu'irrité par les
latinismes pédants de l'écolier, Pantagruel justifiait son
agressivité physique en invoquant la valeur normative de
l'usage : « Il nous convient parler selon le langaige usité
et, comme disait Octavian Auguste, (...) il faut éviter les

1. Seuil, p. 292 ; GF, *Pantagruel*, p. 119-120.

motz espaves en pareille diligence que les patrons des navires évitent les rochiers de mer. »[1] Etrange prescription dogmatique, pour le moins déplacée dans la bouche de celui qui va s'ébrouer dès le chapitre suivant parmi les titres-« espaves » du catalogue de la bibliothèque Saint-Victor : en quoi le *De differentis soupparum, Les Lunettes des Romipetes* et l'*Antipericatametanaparbeugedamphicribrationes merdicantium* relèvent-ils plus du « langaige usité » que l'hybridation linguistique pratiquée par l'écolier limousin? Aussitôt posée, la norme se voit infliger le cinglant démenti des faits.

L'épisode de l'écolier limousin se réduirait à une bouffée d'intolérance passagère s'il ne faisait l'objet, au chapitre 5, d'une anticipation trop souvent passée sous silence par les commentateurs. Effectuant sa tournée des universités françaises, l'étudiant Pantagruel découvre à Maillezais le portrait de son ancêtre Geoffroy de Lusignan, représenté à son grand étonnement dans l'attitude d'un « homme furieux ». Peu convaincu par l'explication que lui fournissent les chanoines du lieu — « les painctres et poëtes ont liberté de paindre à leur plaisir ce qu'ilz veulent »[2] —, le géant ne peut s'empêcher d'émettre un soupçon : « Il n'est ainsi painct sans cause, et me doubte que à sa mort on luy a faict quelque tord, dont il demande vengeance à ses parents. »[3] En faisant des signes les dépositaires fiables du réel et en leur refusant l'autonomie de l'imaginaire, Pantagruel fait preuve d'un dogmatisme naïf qui annonce la réaction brutale du chapitre suivant.

Un tel comportement doit-il surprendre, de la part de celui qui est né sous les auspices d'une sémiologie simple et candide? Souvenons-nous en effet que l'imposition du nom de Pantagruel était le produit des circonstances, comme si les choses avaient suscité naturellement le mot

1. Seuil, p. 237 ; GF, *Pantagruel*, p. 55.
2. Seuil, p. 233 ; GF, *Pantagruel*, p. 49.
3. Seuil, p. 233 ; GF, *Pantagruel*, p. 49.

et y avaient trouvé leur réceptacle idéal : « Et parce que
en ce propre jour nasquit Pantagruel, son père luy
imposa tel nom : car *panta* en grec vault autant à dire
comme *tout* et *gruel* en langue hagarène vault autant
comme *altéré*, voulent inférer que à l'heure de sa nativité
le monde estoit tout altéré, et voyant en esprit de prophétie qu'il seroit quelque jour dominateur des altérez... »[1]
Situation harmonieuse que celle où le mot se trouve de
plain-pied avec le monde en même temps qu'il épouse
fidèlement l'intention du sujet. Mais ne sommes-nous pas
en Utopie ? Paris, à cet égard, est bien éloigné du
royaume paternel — ce dont Pantagruel n'a manifestement pas pris la mesure lorsqu'il rencontre l'écolier
limousin. Certes, le géant n'est encore qu'au début de son
séjour, et il a beaucoup à apprendre de cette curieuse ville
où plus rien ne semble garantir la continuité des mots et
des choses. Il n'en demeure pas moins évident qu'une cer-
taine naïveté ou innocence du personnage se perpétuera
par-delà l'achèvement de son noviciat intellectuel : la relation que Pantagruel entretient avec les signes restera marquée par une détermination « utopienne » qui ne le pré-
pare pas à affronter dans les meilleures conditions
l'effervescence de la capitale.

En termes d'aptitude à la maîtrise d'un monde hérissé
de signes énigmatiques, la figure de Pantagruel ne peut en
effet inspirer qu'un jugement contrasté. Si le personnage
possède une indéniable vivacité intellectuelle, s'il fait
preuve d'une étourdissante habileté à démêler les éche-
veaux les plus embrouillés (chap. 11, 12 et 13), il apparaît
néanmoins engoncé dans des postulats sémiologiques qui
l'empêchent plus d'une fois de mobiliser les moyens adap-
tés aux circonstances. La rencontre de Panurge illustre
avec éclat cette absence de souplesse de Pantagruel : le
plus étonnant, dans cet épisode décidément extraordinaire, n'est pas tant l'ignorance des langues successive-

1. Seuil, p. 224 ; GF, *Pantagruel*, p. 39.

ment employées par Panurge — même s'il faut reconnaître que ce géant à l'esprit « infatigable » et « strident » est encore bien loin de l' « abysme de science » réclamé par son père — que l'impuissance à trouver un biais qui contourne l'obstacle de l'incompréhension linguistique. Pantagruel et les siens cherchent obstinément à établir un rapport de signification là où palpite un sens criant : ils s'interrogent en vain sur chacune des langues du nouveau venu, alors qu'il serait si simple d'entrer en relation avec lui par le truchement des signes que prodigue son aspect extérieur (« pitoyablement navré en divers lieux et tant mal en ordre qu'il sembloit estre eschappé ès chiens »[1]). Si le géant s'était d'emblée arrêté à ces signes, plutôt que de déployer une rhétorique interrogative bien pompeuse en la circonstance, la cascade des langues et des perplexités peu glorieuses aurait sans doute été évitée. En ce sens, une moquerie implicite est contenue dans les propos d'un Panurge enfin décidé à parler français : « nous aurons, en aultre temps plus commode, assez loysir d'en racompter, car pour ceste heure, j'ay nécessité bien urgente de repaistre : dents agues, ventre vuyde, gorge seiche, appétit strident... »[2].

En menant le dialogue à sa guise et en renvoyant irrespectueusement ses interlocuteurs à leur ignorance et pesanteur d'esprit, Panurge fait plus qu'effectuer une entrée en scène fracassante : il s'impose comme détenteur d'une aptitude plastique et virtuose que le héros éponyme du récit ne possède pas. Maniant les signes avec une adresse qui s'embarrasse aussi peu de référentialité que d'usage social, il apparaît comme le complément indispensable du géant au sein d'un monde tortueux : il saura s'insinuer et triompher où Pantagruel demeure empêtré, embarrassé. Gustave Doré l'a admirablement compris dans ses illustrations, opposant à la masse encombrante

1. Seuil, p. 249 ; GF, *Pantagruel*, p. 69.
2. Seuil, p. 256 ; GF, *Pantagruel*, p. 74.

et difficilement maniable de l'un le physique longiligne et tout en angles aigus de l'autre.

Les épisodes qui composent le cycle parisien témoigneront de cette complémentarité, rendue nécessaire par la virtuosité à intermittences de Pantagruel : si le géant parvient à arbitrer le différend de Baisecul et Humevesne sans l'aide de Panurge, c'est ce dernier qui se substitue à lui pour affronter Thaumaste, et c'est grâce à son ingéniosité que sera déchiffré le rébus envoyé par la dame parisienne. C'est sans doute dans l'épisode de la *disputatio* par signes avec le clerc anglais qu'apparaît le mieux la fonction de suppléance efficacement remplie par Panurge. Dès que les conditions de l'échange intellectuel ont été fixées (chap. 18), le géant atteint le paroxysme de la fébrilité et, tel un étudiant à la veille d'un examen, se met à compulser hâtivement toutes sortes de traités de philosophie, d'Artémidore à Plotin. Panurge lui reproche cet « excès de pensement » et se targue de « faire chier vinaigre » à l'Anglais le lendemain ; sur quoi, il s'en va passer la nuit en jeux et en beuveries. Du « maître » au « disciple », deux manières d'affronter l'événement : le premier raisonne dans une problématique de la signification, et se préoccupe de l'ajustement des signifiants gestuels aux signifiés ésotériques ; le second fait fond sur son génie de la pantomime, et ne se tourmente pas outre mesure. L'un croit à la profondeur, l'autre sait que les jeux de surface, menés avec brio, ont raison de toutes les fausses profondeurs. L'issue de la joute confirmera la justesse de la seconde option sémiologique : les prétentions métaphysiques du clerc seront ridiculisées par les mimiques désopilantes et les gestes obscènes du bateleur. En ne s'embarrassant pas comme Pantagruel d'une « morale des signes », Panurge fait montre d'une adresse ondoyante qui s'impose au fil des épisodes comme l'adjuvant le plus précieux du géant.

Le problème, c'est que l'indispensable acolyte n'a pas plus de morale au sens ordinaire que de « morale des signes » : homme des plaisanteries plus que douteuses, il ne recule pas devant le vol et le sacrilège, et la brutalité de ses appétits sexuels le conduirait volontiers au viol s'il ne craignait la bastonnade (chap. 21). Chacune de ses frasques n'est-elle pas un vivant défi aux solennelles objurgations que contenait la lettre de Gargantua : « Aye suspectz les abus du monde. (...) Soys serviable à tous tes prochains et les aymes comme toy-mesmes. Révère tes précepteurs. Fuis les compaignies des gens èsquelz tu ne veulx point ressembler »[1]? La lettre paternelle et la conduite de l'acolyte parisien ne tirent-elles pas le bon géant dans des directions contradictoires?

Rabelais va résoudre ce problème de deux manières successives et complémentaires : d'abord par une relative neutralisation de la discordance (épisodes parisiens), ensuite par une relégation temporaire de la question éthique (épisodes guerriers). La première solution consiste à doter Panurge d'une double vie : tantôt il fait figure de « gentil compaignon » qui dévide des histoires salaces ou philosophe avec Pantagruel « à la mode des Péripatéticques »[2], tantôt il se transforme en crocheteur de troncs à la sophistique brutale. Il est intéressant de remarquer que les épisodes dans lesquels Panurge transgresse les normes religieuses et morales — vol dans les églises, velléités de viol — sont dérobés à la connaissance du géant : le géant ne saura rien des actions les plus violemment cyniques de son acolyte ; il ne connaîtra de lui que sa dextérité et ses histoires drôles. La double vie de Panurge préserve les personnages d'une explicitation sans doute désagréable des incompatibilités éthiques.

Cet effet d'assourdissement sera prolongé et renforcé par les épisodes guerriers. Les nécessités du conflit entre Utopiens et Dipsodes vont ramener dans la sphère pantagruélienne un Panurge que les chapitres 16, 17, 21 et 22

---

1. Seuil, p. 248 ; GF, *Pantagruel*, p. 68.
2. Seuil, p. 289 ; GF, *Pantagruel*, p. 116.

avaient littéralement désorbité : elles lui donnent sa pleine et entière dimension de « compaignon » en inscrivant chacune de ses actions dans une trame stratégique commune. Ce « réalignement » du personnage ne l'empêche certes pas d'occuper une place de premier plan, où il se propulse grâce à une série d'exploits étourdissants (destruction des 660 chevaliers, résurrection d'Epistémon) : la figure de Panurge ne se résorbera jamais dans la fonctionnalité discrète qui est celle d'un Eusthenes ou d'un Carpalim. Il n'en est pas moins évident que sa participation aux opérations collectives le déleste largement de la trouble singularité qu'avaient révélée les épisodes parisiens. De manière significative, une réactivation concomitante du rôle de Pantagruel s'opère dans ces chapitres. Unissant les leçons panurgiennes — Pantagruel fait croire au prisonnier qu'il a à son service « dix huyt cens mille combatans et sept mille géans »[1] — et les leçons paternelles — « toute ma fiance est en Dieu »[2] —, l'action du géant a valeur de synthèse : elle rassemble et solidarise les deux pôles de la ruse manipulatrice et de l'humanisme chrétien, que le récit du séjour parisien avait disjoints. Les virtualités centrifuges de l'avant-guerre sont donc écartées.

Mais pour combien de temps ? Car il faut bien reconnaître que la guerre n'a fait qu'amortir l'opposition éthique en lui offrant l'issue d'une synthèse étroitement conjoncturelle. Lorsque l'œuvre aura déserté les champs de la fiction épique, les discordances se feront entendre dans toute leur force : ce sera le *Tiers Livre*. L'explicitation de la profonde dissemblance des systèmes de valeurs est reportée à 1546.

Un ripailleur chez les thélémites ? — Si l'apparition de Panurge est appelée par les carences et raideurs de Panta-

---

1. Seuil, p. 323 ; GF, *Pantagruel*, p. 154.
2. Seuil, p. 324 ; GF, *Pantagruel*, p. 155.

gruel, Frère Jean vient investir un espace abandonné par Gargantua depuis que Ponocrates a pris en charge son éducation : celui de la folie carnavalesque.

La nécessité d'un rééquilibrage dialogique du récit semble commander l'apparition du personnage. Il faut, pour en comprendre le ressort, se reporter aux chapitres qui précèdent l'entrée en scène de Frère Jean, et plus particulièrement à la description de la « bonne » éducation de Gargantua. Les chapitres 23 et 24, on l'a souvent remarqué, se caractérisent par une écriture froide, abstraite et presque désincarnée, qui déroule une succession réglée d'opérations accomplies par un « ils » indifférencié :

> devisoient des leçons leues au matin

> se esbaudissoient à chanter musicalement

> recoloient les passages des auteurs anciens

> alloient ouir les leçons publicques[1]

A qui renvoie au juste ce « ils »? Au seul couple formé par le pédagogue et son disciple, ou à l'ensemble du petit groupe d'humanistes? Quelle que soit la réponse — et l'indétermination fait à l'évidence partie de la stratégie d'écriture de Rabelais —, ce pronom est le vecteur d'un changement flagrant dans le régime de la fiction. D'abord parce qu'il désindividualise les personnages — Gargantua n'est désigné qu'une fois par son nom au cours du chapitre 24 — ensuite parce qu'il abolit l'« entreparler » au profit de la mise en œuvre serrée d'un programme. Sans doute Gargantua et Ponocrates parlent-ils beaucoup dans le cadre de cet enseignement soucieux de ménager une large place au dialogue : mais il est significatif qu'aucune émergence du discours direct ne troue la trame pédago-

---

1. Seuil, p. 106-117 ; GF, *Gargantua*, p. 118-127.

gique remarquablement dense des chapitres 23 et 24. Tout se passe comme si le *logos* planificateur du maître avait dissipé la verve réjouissante du disciple. Où donc est passée l'inventivité poético-pratique de celui qui cherchait le « torchecul » le plus adéquat et exposait à son père ébloui les résultats de l'enquête ? Il faut reconnaître que le redressement éducatif du jeune Gargantua se double d'une curieuse anémie du récit.

La guerre a naturellement un effet vivifiant sur la petite troupe gargantuine. Les opérations militaires, en mobilisant les talents respectifs des uns et des autres, substituent au « ils » parisien les noms propres des personnages : Gargantua, Ponocrates, Gymnaste, Eudémon. Mais plus encore que la guerre, c'est l'irruption du moine qui apparaît décisive. La présence de Frère Jean au banquet des chapitres 39 et 40 réincorpore dans le récit une tonitruante convivialité à peu près absente depuis les « propos des bien yvres » et les grandioses ripailles qui avaient accompagné la naissance de Gargantua : « Ha, mon amy, baille de ce cochon... (...) Je renye ma vie, je meurs de soif... Ce vin n'est des pires. Quel vin beuviez-vous à Paris ? »[1] Véritable maelström « esbaudissant », le moine bouscule toutes les règles de la conversation, sautant sans cesse du coq à l'âne, monopolisant la parole pour se lancer dans de vastes monologues décousus, apostrophant les serviteurs pour réclamer un surcroît de nourriture ou de boisson. Le récit, sous son impulsion, renoue bruyamment avec les vertus du discours direct.

Mais les bouffonneries de Frère Jean ne se réduisent pas à une réactivation de la convivialité. Elles introduisent un point de vue extérieur au petit groupe, et de ce fait brisent la clôture monologique des chapitres 23 et 24. Une « vérité » étrangère au système de valeurs de Ponocrates surgit avec fracas, obligeant le précepteur lui-même à déroger à ses propres principes. La petite polémique

1. Seuil, p. 159-160 ; GF, *Gargantua*, p. 175-176.

diététique du chapitre 41 est à cet égard capitale. Lorsque le géant, en bon élève, fait remarquer à Frère Jean que « Boyre si tost après le dormir, ce n'est vescu en diète de médecine »[1], il s'entend répondre vertement : « Cent diables me saultent au corps s'il n'y a plus de vieulx hyvrognes qu'il n'y a de vieulx médicins ! J'ay composé avecques mon appétit en telle paction que tous jours il se couche avecques moy, et à cela je donne bon ordre le jour durant, aussy avecques moy il se liève. »[2] Que fait ici Frère Jean, sinon reproduire les allégations d'un Gargantua jadis soumis à une « vitieuse manière de vivre »[3] ? La situation est donc éminemment paradoxale : Ponocrates laisse le moine prôner une diététique (c'est-à-dire un mode général d'existence) dont il a ouvertement dénoncé les méfaits au moment de prendre en main l'éducation de Gargantua. Non seulement le rigoureux précepteur humaniste n'apporte pas la contradiction au trublion, mais il légitime sa sophistique en présence même de son disciple : « Par ma foy (dist Ponocrates), je ne sçay, mon petit couillaust ; mais tu *vaulx* trop ! »[4] Le verbe qui cautionne les facéties de Frère Jean mérite largement qu'on s'y attache : existerait-il donc des comportements qui, tout en contredisant le système sévère du maître, feraient de sa part l'objet d'une validation chaleureuse ?

A cette question délicate, on peut donner deux éléments de réponse complémentaires. Le premier s'appuie sur la présomption d'irréversibilité du processus de redressement éducatif accompli par Ponocrates : assagi par des méthodes d'enseignement aussi exigeantes qu'efficaces, l'ex-étudiant Gargantua n'a rien à craindre des dissipations d'un Frère Jean. La contagion de la déraison n'est guère probable. Ponocrates laisse donc faire, et peut d'ail-

---

1. Seuil, p. 164 ; GF, *Gargantua,* p. 182.
2. *Ibid.*
3. Cf. l'ensemble du chap. 21.
4. Seuil, p. 164 ; GF, *Gargantua,* p. 183. C'est moi qui souligne.

leurs constater avec satisfaction que son disciple garde en face du moine une remarquable dignité intellectuelle : « A propos truelle, pourquoy est-ce que les cuisses d'une damoizelle sont tousjours fraisches? — Ce problesme (dist Gargantua) n'est ny en Aristoteles, ny en Alexandre Aphrodise, ny en Plutarque. »[1] L'assimilation des principes ponocratiques est telle que le précepteur peut bien s'effacer momentanément devant le moine bouffon : comme le rappelle une apologie médiévale de la fête citée par Mikhaïl Bakhtine, « les tonneaux de vin éclateraient si de temps à autre on ne lâchait la bonde, si on n'y laissait pénétrer un peu d'air »[2]. En offrant une possibilité d'épanchement à la folie et à la déraison, la verve symposiaque de Frère Jean remplit une évidente fonction hygiénique : non seulement elle ne menace pas l'œuvre restauratrice du précepteur, mais elle s'intègre dans un programme dont la rigueur même se doit de ménager quelques dérivatifs. D'où la légitimité volontiers conférée par Ponocrates aux déchaînements du moine.

L'explication a sans doute sa part de pertinence, mais serait plus satisfaisante si Frère Jean n'était que le compagnon d'un banquet. Or le personnage s'installe à demeure dans le récit, et c'est même à lui qu'il revient d'en prononcer le dernier mot (« Et grand chère ! »). Il est donc possible que le « tu vaulx trop ! » de Ponocrates traduise plus qu'un mouvement de reconnaissance individuelle et collective, et qu'il renvoie, par-delà la subjectivité des personnages, à la logique générale qui animera désormais le récit : en accordant droit de cité à une échelle de valeurs qui défie l'ordre ponocratique, l'épopée gargantuine devient la scène d'une coexistence à la fois vive et pacifique qui lui imprime un dynamisme essentiel. L'exclamation du précepteur apparaît ainsi comme l'indice d'une dialogisation du rapport aux valeurs et à la vérité : à la

---

1. Seuil, p. 159 ; GF, *Gargantua*, p. 175.
2. Ouvr. cité, p. 83.

rationalité savamment économe et organisatrice s'oppose dorénavant la convivialité allégrement dissipatrice. L'une « vault » autant que l'autre : la première, naguère en situation de monopole, a trouvé à qui parler en la personne de Frère Jean.

Il ne fait pas de doute que la guerre, dans *Gargantua* comme dans *Pantagruel,* atténue cette tension axiologique du fait de la prééminence qu'elle donne à l'intérêt collectif. La paix va inéluctablement aviver les oppositions : avant de les exprimer formellement (controverse du chap. 58), la fin du récit les révélera au travers d'une incohérence narrative subtilement maîtrisée (chap. 52 à 57).

Les commentateurs n'ont pas manqué de remarquer en effet qu'une curieuse disjonction de la fiction romanesque et de l'imaginaire utopique se produit dans les derniers chapitres : pourquoi Frère Jean, promoteur de l'abbaye de Thélème (« Oultroyez-moy de fonder une abbaye à mon devis »[1]), est-il ensuite si manifestement absent de la petite société qui évolue entre ses murs ? La réponse tient précisément au mode d'organisation dialogique du récit et à la relation complexe qui s'établit, une fois la guerre terminée, entre les deux grandes échelles de valeurs concurrentes. Il est normal que Frère Jean, homme de la généreuse convivialité, soit l'instigateur d'un projet d'émancipation et de refonte fraternelle des rapports humains, loin de toute règle aliénante ; mais il est tout aussi normal que le moine se désinvestisse de l'entreprise dès lors qu'une rationalité anonyme et planificatrice — celle de Gargantua et Ponocrates ? — se charge de son exécution. Pour reprendre la formule justement lapidaire d'A. Tournon : « Sans Frère Jean, pas de Thélème ; à Thélème pas de Frère Jean. »[2] Ce paradoxe illustre bien la difficile négociation entre l'impulsivité gaillarde du moine

---

1. Seuil, p. 190 ; GF, *Gargantua*, p. 216.
2. A. Tournon, art. cité.

et le système éthico-intellectuel des humanistes : si les deux parties ne peuvent que s'entendre sur l'institution d'une abbaye « au contraire de toutes les autres », il ne fait pas de doute que la programmation minutieuse de la société utopique détruit ou étouffe la flamme de l'intuition originelle. Frère Jean ne sera jamais l'abbé de Thélème[1] : une fois l'idée lancée, il se gardera bien de prendre part à sa concrétisation et conservera une entière liberté de mouvement.

Liberté de mouvement, c'est-à-dire au premier chef liberté de parole. Le dernier chapitre réaffirme avec force l'orientation dialogique du récit. Frère Jean ne s'est échappé des murs de l'abbaye que pour revenir malicieusement par les fondations : interprétant à sa façon l'énigme découverte dans le sous-sol de Thélème, le revoilà qui donne non sans impertinence la réplique à Gargantua. Les deux discours divergents que le chapitre juxtapose sans commentaire consacrent l'irréductible dualité des échelles de valeurs et leur égale légitimité. Le sens prosaïque mis en avant par Frère Jean — l'énigme ne ferait rien d'autre, selon lui, que décrire une partie de jeu de paume — n'est pas plus « vrai » — ni plus « faux » — que le sens spirituel (une vision eschatologique) dégagé par Gargantua : le texte accrédite les deux options herméneutiques. S'il existe une « vérité » de l'interprétation, elle ne peut procéder que de l'interaction jamais achevée des discours du moine et du géant : aucun discours globalisant ne saurait en effet surmonter la division des points de vue.

Cet épisode faussement conclusif est capital, et permet de mesurer la distance qui sépare *Gargantua* de *Pantagruel*. On a vu que le premier récit, du fait de la « double vie » de Panurge, ne laissait pas à la discordance éthique

---

1. Même si le chapitre 49 du *Tiers Livre* parle de « Frère Jan des Entommeures, abbé de Thélème » : cette furtive mention n'a nulle incidence sur le statut du personnage dans le récit.

la possibilité de se faire véritablement jour. Il en va tout autrement dans *Gargantua,* où le géant et son « trouble-sagesse » sont désormais face à face : l'assujettissement plus ferme du second à la trame principale du récit entraîne nécessairement une verbalisation des différences de codes et de comportements. La joute, certes sous-tendue par l'estime et l'amitié, devient inévitable. Si l'on parlait beaucoup chez Rabelais avant la controverse de Gargantua et Frère Jean, on parlera plus encore dans la suite du cycle gigantal, du fait de l'actualisation polémique des dissemblances.

Pratiques du discours

D'un bout à l'autre de l'œuvre — du monologue contradictoire de Gargantua à l'oracle de la Dive Bouteille — le besoin de parler se révèle aussi constant et irrépressible que l'appétit ou la soif : dialogues, harangues, commentaires, requêtes et objurgations imposent leur surgissement multiforme, au risque de rompre l'équilibre toujours fragile du discours direct et de la narration. L'importance de la parole déborde largement le privilège accordé à la rhétorique par l'éducation humaniste : tous les personnages rabelaisiens s'emparent des mots avec frénésie — ceux qui sont passés par les « escholes de la parlerie » et ceux qui ont appris à parler dans les « tavernes »[1], ceux qui ont un contenu de pensée à communiquer et ceux qui s'enferment dans un galimatias vertigineux. Non seulement les orateurs, questionneurs, phraseurs ou bavards se multiplient à l'envi, mais il n'est aucune activité qui n'implique la parole comme moment décisif et structurant. Tout est langage : l'éducation

1. Cf. Montaigne, *Essais,* III, VIII (« De l'art de conférer ») : « J'aymeroy mieux que mon fils apprint aux tavernes à parler, qu'aux escholes de la parlerie » (éd. de Pierre Villey, PUF, 1978, p. 926-927).

(débat de méthode sur la meilleure pédagogie, dialogue du maître et du disciple), la guerre (négociation avec l'adversaire, évaluation collective des urgences stratégiques), le désir (discours de séduction ou de harcèlement), le boire et le manger (propos conviviaux), et même les actes de la vie corporelle la plus intime (discours de Gargantua à son père sur l'« invention d'un torchecul »).

Cet univers essentiellement verbal accorde une place de choix à l'anormalité des faits de langage, aux situations de blocage ou de perturbation de la communication : charabia de l'écolier limousin, fatras des plaidoyers de Baisecul et Humevesne, langues réelles et imaginaires exhibées par Panurge, jargon franco-latin de Janotus de Bragmardo, dérive fantasmatique du dialogue de Picrochole et de ses conseillers. L'échange des discours chez Rabelais semble au fond mener un double jeu — tantôt acquis aux règles de transparence de la communication, tantôt livré à d'obscures forces jubilatoires qui l'affranchissent de toute contrainte figurative ou pragmatique. Quoi de commun en effet entre la rigueur méthodologique du discours que Pantagruel tient devant les tribunaux (*Pantagruel,* chap. 12) et l'ineptie des propos qui suivent (*ibid.,* chap. 11, 12 et 13) ? Du premier au second, aucune commune mesure — au moins en apparence. Le discours des personnages semble osciller entre l'économie fluide des signifiés et les concrétions allégrement opaques du signifiant.

Pourtant, un examen plus approfondi du texte suffit à troubler les termes de cette bipartition schématique : il n'est pas sûr que les discours les plus transparents ne s'inscrivent pas dans un questionnement complexe de la notion de transparence, et qu'en se conformant au critère de clarté ils n'ouvrent pas des interrogations plus redoutables encore que les passages manifestement obscurs. Aucune des alliances mécaniques auxquelles nous sommes accoutumés ne fonctionne chez Rabelais : la transparence ne signifie pas plus transitivité que l'opacité ne provoque une paralysie de la communication ; en témoignent les deux épisodes symétriques et inverses de la rencontre de Panurge — l'incompréhension linguistique n'empêche pas, tant s'en faut, le flux de la sympathie — et de la harangue de Ulrich Gallet à Picrochole — l'impeccable mise en forme du discours persuasif ne rencontre pas le moindre écho chez celui à qui il s'adresse.

Plutôt que de raisonner en termes de transparence ou d'opacité, il faut donc placer le problème sur le plan de l'efficacité, et interroger les réussites et les échecs du procès de communication. A quelles conditions est-il possible de parler et de s'entendre? Comment l'échange verbal affronte-t-il le défi de la pluralisation des codes? Les discours atteignent-ils l'objectif d'élucidation du réel, ou ne font-ils qu'ajouter leur poids d'énigme au cours embrouillé des choses? Telles sont parmi d'autres les questions que soulèvent les deux récits. A défaut de percer tous les mystères de ce continent qu'est la communication rabelaisienne, l'analyse peut au moins mettre un peu d'ordre dans ses figures foisonnantes et esquisser une problématique générale.

N'oublions pas cependant que ledit continent n'est pas immobile : de *Pantagruel* à *Gargantua,* ses plaques tectoniques se déplacent sous couvert de récurrences narratives, et imposent au sens de nouveaux modes de stratification. Si bien que, parvenu à Thélème, le lecteur doit reconnaître que la problématique de la communication n'est plus celle des premiers chapitres de *Gargantua* : le paysage entier s'est transformé.

Une tératologie de la parole. — La lettre de Gargantua à Pantagruel met clairement l'accent sur la fonction structurante et formatrice de la parole : « Tu es à Paris, tu as ton précepteur Epistémon, dont l'un par vives et vocales instructions, l'autre par louables exemples, te peut endoctriner »[1]; et quelques paragraphes plus loin : « Et veux

_____
1. Seuil, p. 247 ; GF, *Pantagruel,* p. 66.

que de brief tu essaye combien tu as proffité, ce que tu ne pourras mieux faire que tenent conclusions en tout sçavoir, publiquement, envers tous et contre tous, et hantant les gens lettrez qui sont tant à Paris comme ailleurs. »[1]

Comme n'ont pas manqué de le remarquer de nombreux commentateurs, la lettre de Gargantua se développe sur un registre qui lui confère une curieuse insularité : son apparat philosophico-pédagogique la désolidarise du contexte où elle s'inscrit. C'est en vain que le lecteur chercherait dans les chapitres suivants les « vives et vocales instructions » du précepteur et le commerce des « gens lettrez ». Sans doute nous est-il dit que le jeune homme est « records des lettres et admonitions de son père »[2]. Mais le cycle des aventures parisiennes consiste moins en une mise en application du programme épistolaire qu'en la manifestation de son caractère largement inadéquat. *Pantagruel* à cet égard ne diffère pas du *Bildungsroman* ultérieur : la grande ville déniaise, elle dérange et bouscule toutes les sages maximes.

Quatre épisodes saillants rythment le séjour du héros dans la capitale : la rencontre de l'écolier limousin, la rencontre de Panurge, le règlement du différend Baisecul-Humevesne et la joute méaphysico-gestuelle où Panurge défait pitoyablement Thaumaste. L'ajustement problématique de l'émission et de la réception du discours en est le ressort commun.

A qui conserverait des doutes quant à la rigueur de composition de *Pantagruel,* ces quatre épisodes opposent la fermeté de leur regroupement deux à deux, comme le montre le tableau p. 82.

La rue, les établissements du savoir, les lieux d'exercice de la juridiction : autant de théâtres d'un dérèglement de la communication sociale. La convergence des quatre épisodes dessine une image limite : celle d'un monde où chaque discours élaborerait ses propres règles génératives

1. Seuil, p. 248 ; GF, *Pantagruel*, p. 67.
2. Seuil, p. 256 ; GF, *Pantagruel*, p. 75.

CODE EMPLOYÉ	LIEU ET CARACTÈRE DE L'ÉCHANGE	DÉROULEMENT ET ISSUE DE LA RENCONTRE
galimatias (écolier limousin)	— ouvert : la rue — informel, hasardeux	*incompréhension totale* : les propos sibyllins du locuteur ne sont déchiffrés par aucun des personnages présents
langues multiples (Panurge)		
fatras absurde (Baisecul et Humevesne)	— fermé : Palais de justice, Collège de Navarre — déterminé par un cadre institutionnel	*incompréhension partielle* : le code hermétique employé par un (des) locuteur(s) est assimilé par un interlocuteur qui en use magistralement ; l'échange qui s'instaure reste incompréhensible pour tous les autres personnages présents
gestes et mimiques (Thaumaste et Panurge)		

et dissoudrait dans une *poétique* étourdissante l'objectif de communicabilité. Non qu'il soit devenu impossible de parler et de s'entendre dans le Paris de *Pantagruel* : le géant et la petite troupe hétéroclite de ses compagnons — Epistémon, Carpalim, Eusthenes et Panurge — n'ont pas de difficulté à échanger des propos folâtres ou sérieux. Mais les dysfonctionnements commencent dès que la parole franchit le cercle privé pour entrer dans le domaine public : l'arbitraire ou l'égarement des locuteurs découpe alors autant d'îlots soustraits à l'orchestration sociale des discours.

On peut esquisser une typologie des facteurs de perturbation. Schématiquement, il existe dans *Pantagruel* trois modes d'appropriation du langage qui en bloquent ou pervertissent la circulation : le sociolecte à usage restreint, la complication démesurée et la pratique de l'équivoque. Le premier correspond au discours de l'écolier limousin, parler hyper-affecté qui se veut l'indice d'une distinction culturelle : « Nous transfretons la Sequane au dilucule et crépuscule ; nous déambulons par les compites et quadrivies de l'urbe. »[1] Si les propos sont sibyllins — « Que diable de langaige est cecy ? » s'enquiert aussitôt Pantagruel — l'intention du locuteur est aisément identifiable : « Seigneur, sans doute ce gallant veult contrefaire la langue des Parisians, mais il ne faict que escorcher le latin et cuide ainsi pindariser... »[2] L'hermétisme du lexique n'empêche pas la lisibilité de la stratégie discursive : à défaut de comprendre les mots, on peut classer celui qui les profère dans un tableau des ridicules socio-culturels. L'écolier limousin n'est pas très éloigné de Janotus de Bragmardo, le docteur en théologie qui fera tant rire Ponocrates et Eudémon au chapitre 20 de *Gargantua* : les sociolectes employés par les deux personnages sont d'une

1. Seuil, p. 235 ; GF, *Pantagruel*, p. 52.
2. Seuil, p. 236 ; GF, *Pantagruel*, p. 53.

obscurité risiblement claire pour qui connaît un peu les pratiques du microcosme parisien.

Autrement déroutants sont les discours absurdes de Baisecul et Humevesne. Les propos de l'écolier limousin ne nécessitaient que la connaissance du lexique : leur organisation générale obéissait aux règles de la logique et renvoyait à un monde bien réel. Chez Baisecul et Humevesne, les rapports normaux de signification sont brisés — entre sujet et prédicat, verbe et complément, nom et génitif — et le respect de la syntaxe ne fait qu'accuser plus violemment l'aberration sémantique : « Mais, à propos, passoit entre les tropicques six blancs vers le zénith et maille par autant que les monts Rhyphées avoyent eu celle année grande stérilité de happelourdes, moyennant une sédition des Balivernes meue entre les Barragouyns et les Accoursiens pour la rébellion des Souyces... »[1] Directement issus des fatrasies médiévales — poèmes qui déroulaient une suite de vers incohérente — et en ce sens bien différents des propos de l'écolier limousin, les discours de Baisecul et Humevesne prolongent néanmoins l'épisode du chapitre 6 dans la mesure où ils offrent le spectacle d'un nouveau dérèglement du rapport entre parole et pratique sociale[2]. Tandis que l'un faisait du langage l'instrument d'une valorisation de soi, les deux autres dissolvent dans la complexité aberrante du discours toute référence à leur situation personnelle ; le langage n'est plus dans ce second cas — et nous n'y sommes que trop habitués aujourd'hui — qu'une énorme machine à opacifier les enjeux et à entretenir le vide de son propre

1. Seuil, p. 260 ; GF, *Pantagruel*, p. 80.
2. La critique de ce dérèglement était alors d'actualité. M. Screech rappelle dans son *Rabelais* (*op. cit.*, p. 117) le contexte juridique dans lequel s'inscrit le récit et mentionne l'existence d'un opuscule publié en 1531 par Claude Nourry, premier éditeur de Pantagruel, intitulé les *Ordonnances Royaux sur l'abbreviation du procès et autres matières*. La bouffonnerie du procès Baisecul-Humevesne et la satire des interminables querelles juridiques ne pouvaient que rencontrer les préoccupations du public éclairé de l'époque.

fonctionnement. Grelot culturel ou monstre engendré par la mécanique institutionnelle : l'anormalité du discours parisien fait planer une menace sur l'échange social.

Le tableau serait naturellement incomplet si l'on n'y incluait la subversion panurgienne du langage. Moins innocent que Baisecul, Humevesne ou l'écolier limousin, l'acolyte de Pantagruel ne se contente pas d'acrobaties verbales : toute action sur les mots est chez lui manipulation du réel, déplacement plus ou moins transgressif des règles et des contraintes à son profit. L'épisode le plus révélateur à cet égard — celui qui tire les conséquences les plus extrêmes des prémisses constitutives du personnage — est incontestablement le chapitre 17, qui raconte « comment Panurge guaingnoyt les pardons ». Il est significatif que Pantagruel n'apparaisse pas dans cet épisode à l'odeur de soufre : sa présence, on l'a vu, éclairerait d'une lumière trop crue l'abîme moral qui sépare les deux protagonistes. C'est donc accompagné du seul narrateur que Panurge administre une nouvelle preuve de sa capacité de détournement : d'une église à l'autre, il dérobe l'argent des troncs chaque fois qu'il y glisse une pièce ; accusé de sacrilège par son compagnon, il produit aussitôt les gages de son innocence : qu'a-t-il fait, sinon appliquer à la lettre le *centuplum accipies* de l'Evangile, et recevoir cent fois plus qu'il n'a donné ? Cette justification scripturaire se double d'ailleurs d'une caution philologique, puisque Panurge fait remarquer à son interlocuteur qu' « *accipies* est dict selon la manière des Hébreux, qui usent du futur en lieu de l'impératif »[1]. Si le geste et le discours de Panurge provoquent un indéniable malaise, c'est qu'ils vont bien au-delà des frasques coutumières du personnage : il ne s'agit plus cette fois de bousculer les soldats du guet ou de dénuder un prêtre en pleine messe. La mauvaise farce tonitruante a cédé la place à une inquiétante sophistique : arrachant les mots au cadre de réfé-

1. Seuil, p. 286 ; GF, *Pantagruel*, p. 112.

rence collectif qui leur donne valeur et signification, la parole de Panurge les tord et les redistribue au gré de ses appétits. On imagine sans peine le sort que pourraient subir, de proche en proche, les règles et interdits sociaux dans une bouche aussi habile à dévoyer les significations.

Mais la résonance de l'épisode ne se limite pas à l'exercice d'une perversité individuelle. La conduite de Panurge trouve en effet ses conditions de possibilité dans l'époque, et dans l'incertitude qui affecte depuis la fin du Moyen Age les rapports de signification : le temps n'est plus où un ordre ontologique garantissait des contrats stables entre les mots et les idées. Le langage semble désormais errer sans attaches, offert à la mouvance indéfinie des interprétations[1]. C'est cette situation de bouleversement qu'exploite avec une redoutable efficacité la sophistique panurgienne : le bateleur a compris que l'appropriation concupiscente des mots pouvait prospérer sur la ruine ou le dérèglement des grands modèles herméneutiques.

Dans le petit monde parisien que Pantagruel et ses compagnons laissent derrière eux au moment de partir en guerre, l'éthique de la communication est contrariée par les multiples trajectoires individuelles des locuteurs : les performances verbales de chacun semblent peu soucieuses de s'ordonner à l'existence sociale, quand elles n'impliquent pas une sournoise négation de cette dernière. Reconnaissons cependant que cette déperdition en termes de clarté et de fluidité est plus que compensée par l'effervescente richesse créatrice des chapitres 6 à 22, où semblent reculer d'un épisode à l'autre les limites de l'exploration linguistique : l'écolier limousin, Baisecul, Humevesne et Thaumaste sont à la fois de ridicules

---

1. Pour de plus amples développements, voir le livre de C. G. Dubois, *Mythe et langage au XVIe siècle* (Ducros, 1970), et les analyses discutables quoique stimulantes de Michel Foucault au début des *Mots et les choses* (Gallimard, 1966).

marionnettes et de fabuleux défricheurs d'espaces verbaux — jusqu'au silence et à l'abolition du verbe.

La prodigieuse libération poétique du signifiant doit-elle se payer d'une dissolution des cadres et critères sociaux de l'échange? Telle est la question, laissée en suspens au moment de la guerre contre les Dipsodes, à laquelle *Gargantua* donnera à la fois une réponse et une occasion de rebondissement.

Diététique et communication. — Le premier grand dialogue dont *Gargantua* est le théâtre — celui qui donne le branle au processus de formation du héros — ne nous éloigne guère de l'univers mi-sérieux mi-farcesque de *Pantagruel* : l'étonnement manifesté par le père devant le « propos torcheculatif » de son fils (chap. 13 et 14) rappelle à bien des égards le mélange de solennité savante et de bouffonnerie carnavalesque qui caractérisait les épisodes de Thaumaste ou de Baisecul et Humevesne. Plus proche des exhibitions virtuoses d'un Pantagruel et d'un Panurge que des dialogues qui émailleront ultérieurement l'œuvre, la performance de Gargantua laisse « quinault » le public, réduit en l'occurrence à Grandgousier et aux gouvernantes du « guarsonnet » : « En ce seul propos que j'ay présentement davant vous tenu à mon fils Gargantua, je congnois que son entendement participe de quelque divinité, tant je le voy agu, subtil, profund et serain, et parviendra à degré souverain de sapience, s'il est bien institué. »[1]

On se permettra de relativiser le diagnostic paternel, un peu trop lyrique et idolâtre pour satisfaire pleinement au critère de pertinence. Que fait donc Gargantua tout au long du chapitre 13, sinon dérouler une fantaisie empirico-déductive exclusivement asservie aux besoins corporels? Quel que soit le brio du « guarsonnet », son discours témoigne d'une intrication de la performance

1. Seuil, p. 81 ; GF, *Gargantua*, p. 89-90.

verbale et des tropismes organiques que le père assimile bien hâtivement à une capacité dialectique. En ce sens, l'épisode du « torchecul » constitue moins l'avènement de la raison chez l'enfant que le prolongement de l'imaginaire naïvement impertinent du chapitre précédent : l'exhibition des « chevaux factices » avait montré que le jeune géant, en qui ses interlocuteurs reconnaissaient un « jaseur » et un « causeur » hors pair, s'entendait admirablement à plier le réel aux exigences de son univers enfantin. Du levier faisant office de cheval au chat et à l'oison utilisé comme « torcheculs », une même logique est à l'œuvre qui soumet le monde aux seules nécessités ludiques et organiques. Gargantua possède peut-être l'esprit « agu, subtil, profund, serain » que lui attribue son père, mais reconnaissons qu'il n'est capable d'acuité et de subtilité qu'en un sens bien déterminé : s'il sait « mettre en débat » ses plaisirs et déplaisirs corporels, il ne sait pas pour autant tenir sa place dans l'économie sociale de la parole. La rencontre avec Eudémon en administrera brutalement la preuve à un Grandgousier consterné.

Les enseignements successifs de Thubal Holoferne et Jobelin Bridé, « vieux tousseux » l'un et l'autre, ont naturellement leur part de responsabilité dans l'échec de cette confrontation : si celui-là même qui déroulait avec brio les phases de son enquête scatologique s'effondre littéralement devant le jeune page, c'est qu'il a été soumis des années durant à des méthodes d'enseignement mécaniques et abrutissantes. Mais l'inanité scandaleuse de la pédagogie scolastique n'explique pas tout. L'élément décisif en l'occurrence est sans doute le caractère extrêmement fruste et circonscrit de l'univers dans lequel a vécu jusque-là le jeune géant. Cet univers va s'ouvrir, pour la plus grande terreur et le plus grand profit de notre héros. La seule présence du page, la seule évolution de son corps dans l'espace renvoient à un ensemble de pratiques et de codes culturels si radicalement neufs que le pauvre Gar-

gantua n'y peut trouver ni repère ni point d'appui :
« Alors Eudémon, (...) le bonnet au poing, la face ouverte,
la bouche vermeille, les yeulx asseurez et le reguard assis
sur Gargantua, avecques modestie juvénile se tint sus ses
pieds, et commença le louer et magnifier premièrement de
sa vertus et bonnes meurs, secondement de son sçavoir,
tiercement de sa noblesse, quartement de sa beaulté corporelle... »[1] Il faudrait citer l'intégralité de ce passage
extraordinaire, où les préceptes du *Courtisan* de Baldas-
sare Castiglione prennent forme et vie sous le regard
hébété de Gargantua. A la savante capacité d'articulation
gestuelle et oratoire de l'un s'opposent, en une antithèse
saisissante, le mutisme et la bestialité inerte de l'autre :
« Mais toute la contenence de Gargantua fut qu'il se print
à plorer comme une vache (...) et ne fut possible de tirer
de luy une parolle non plus qu'un pet d'un asne mort. »[2]
Le redoublement de la métaphore animale est essentiel :
immaîtrisé et donc envahissant, le corps de Gargantua
interdit l'émergence de la parole, attribut cardinal de l'humanité. L'exhibition d'Eudémon aura servi de révélateur
à ce paradoxe : « jaseur » impénitent, le jeune géant n'est
encore — au sens étymologique — qu'un *in-fans* ignorant
des règles de l'échange verbal.

En conséquence, l'éducation ponocratique s'attachera à
promouvoir chez l'élève un « art de la parole » soigneuse-
ment soustrait aux déterminations d'une idiosyncrasie
infantile. Mettre fin à l'indissociation désastreuse du verbe
et des opérations corporelles est l'acte fondateur de la nouvelle pédagogie : qui ne tient son corps à distance conve-
nable ne saura jamais tenir son rang dans le monde des lettrés. C'est à ce travail de discrimination que va s'employer
Ponocrates, non sans avoir laissé au préalable le géant agir
« à sa manière accoustumée, affin d'entendre par quel
moyen, en si long temps, ses antiques précepteurs l'avoient

1. Seuil, p. 83 ; GF, *Gargantua*, p. 93.
2. Seuil, p. 83 ; GF, *Gargantua*, p. 93.

rendu tant fat, niays et ignorant »[1]. En homme soucieux de ne rien brusquer, le précepteur-médecin se doit de prendre la mesure de la maladie avant de déclencher une intervention thérapeutique : il se contentera d'abord, à la vue du désastre, de distiller quelques remarques doucement réprobatrices. Le plus frappant, dans ce chaos sous surveillance (« L'estude de Gargantua selon la discipline de ses précepteurs sophistes », chap. 21), n'est pas tant l'ignorance ou la niaiserie du jeune homme que l'omniprésence d'un corps affranchi de toute régulation, et le chevauchement comique du ventre et de l'intellect : « Puis estudioit quelque meschante demye heure, les yeux assis dessus son livre ; mais (...) son âme estoit en la cuysine. »[2] Les visées régénératrices de Ponocrates se cristalliseront donc dans l'imposition d'un *régime* à la fois diététique et intellectuel : habitudes alimentaires et modes d'accès au savoir relèvent désormais d'une même rationalité pédagogique. La bouche de Gargantua ne sera plus le théâtre d'un engloutissement et d'une énonciation également anarchiques. Soucieux avant tout d'efficacité, l'ordre ponocratique du discours substitue au primat enfantin de la verve une double et indissociable exigence : la construction cohérente de soi et l'édification de rapports humains fructueux[3].

On aura noté que cette pédagogie restauratrice a, entre autres résultats remarquables, celui de transformer le géant Gargantua en homme ordinaire. Nulle part il n'est fait mention de la taille du héros dans les chapitres 23 et 24 : en imposant de strictes règles et limites à la vie corporelle de son élève, Ponocrates a momentanément suspendu le cours de la fiction gigantale. Le lecteur est certes accoutumé à ces fluctuations : en l'absence de toute échelle stable des rap-

---

1. Seuil, p. 96 ; GF, *Gargantua,* p. 109.
2. Seuil, p. 97 ; GF, *Gargantua,* p. 111.
3. Dès qu'il a pris en main l'éducation de Gargantua, Ponocrates l'introduit « ès compagnies des gens sçavans que là estoient, à l'émulation desquelz luy creust l'esperit et le désir de estudier aultrement et se faire valoir » (Seuil, p. 106 ; GF, *Gargantua,* p. 117).

ports de grandeur, le gigantisme rabelaisien est amené à connaître autant d'intermittences que le cœur proustien ; il disparaît, puis reparaît au gré des situations. Mais cette fois, il s'agit plus que d'un reflux provisoire du gigantisme : le personnage de Gargantua est quasiment condamné à l'évanescence par la mise en œuvre drastique du programme de son précepteur. Nul doute que cet aboutissement étrangement atone du cycle éducatif ne nous oblige à questionner plus avant le processus de formation dit humaniste, et à ne pas rester prisonniers de la lettre du texte : la substitution de la « bonne » à la « mauvaise » éducation se révèle, à l'examen, bien plus problématique qu'elle ne paraissait au premier abord.

À y regarder de près, l'entreprise ponocratique souffre en effet — sinon dans son intention, du moins dans ses résultats — d'une ambiguïté essentielle. Quel type d'*homo loquens* forme-t-elle au juste ? Un savant doublé d'un sage ou un beau parleur rompu à toutes les techniques de l'échange social ? Rappelons-nous l'éloge d'Eudémon par le vice-roi de Papeligosse : « En cas qu'il ne ait meilleur jugement, meilleures parolles, meilleur propoz que vostre filz, et meilleur entretien et honnesteté entre le monde... »[1] Laquelle de ces qualités primera en définitive ? Le « jugement » ou le talent mondain ? L'exhibition d'Eudémon nous inciterait à pencher plutôt pour le second terme : l'impeccabilité gestuelle et oratoire du jeune page n'est pas sans évoquer la parade d'un animal savant. Il est d'ailleurs significatif que Rabelais ne rapporte pas au style direct les propos de l'adolescent, mais qu'il se contente d'en reproduire l'irréprochable scansion (« premièrement », « secondement », « tiercement », « quartement », « et pour le quint ») : tant il est manifeste que l'articulation brillante de cet exercice de style importe davantage que son contenu, on ne peut plus conventionnel et plat. Si Gargantua apparaît englué dans une bestialité qui lui ôte

---

1. Seuil, p. 82 ; GF, *Gargantua*, p. 92.

provisoirement toute ressource, la figure d'Eudémon se dissout dans une mécanique trop soucieuse d'harmonie, abstraite et intemporelle à force de bannir tout accident ou imperfection : « mieux resembloit un Gracchus, un Cicéron ou un Emilius du temps passé qu'un jouvenceau de ce siècle »[1]. La triple référence antique qui clôt la parade de l'adolescent n'est qu'apparemment laudative : l'assimilation des modèles antiques, en l'occurrence, désincarne plus qu'elle ne fertilise.

Risquons donc la question : en quoi Eudémon mérite-t-il d'être proposé en exemple à Gargantua? Rabelais ne s'est-il pas plu, dans cet épisode bien moins univoque qu'il n'en a l'air, à renvoyer dos à dos le produit d'une éducation barbare et le fruit d'une socialisation raffinée à l'extrême? L'auteur de *Gargantua* ne serait pas le seul en tout cas, ni le premier, à allier polémique antiscolastique et critique de la mondanité verbeuse qui menace la nouvelle éducation[2]. Il y aurait donc intérêt à affecter d'un coefficient d'ambiguïté la dynamique rectificatrice qui anime le cycle éducatif : la pédagogie dite humaniste ne risque-t-elle pas de substituer une forme raffinée mais creuse à l'abrutissement engendré par les méthodes « sophisticques »?

On objectera que Gargantua ne se transforme pas en Eudémon, et que les chapitres 23 et 24 décrivent une éducation soucieuse d'ordonner l'art oratoire à la *scientia* et à la *sapientia* : initié à toutes les disciplines, accoutumé au commentaire quotidien de l'Ecriture, le nouvel élève de Ponocrates n'a rien d'une gravure pour manuel de sociabilité mondaine. Reste que l'intervention ponocratique, si elle n'a pas « eudémonisé » notre héros, l'a indiscutablement banalisé. Plus jamais la rhétorique de Gargantua ne dressera la scène réjouissante d'une vie corporelle ouverte sur le

1. Seuil, p. 83 ; GF, *Gargantua,* p. 93.
2. Voir à ce propos les réflexions d'E. Garin dans *L'éducation de l'homme moderne* : « Il y a toujours dans la culture humaniste — outre la possibilité de dégénérescence de la rhétorique — le piège caché du raffinement » (Fayard, 1968, p. 172).

monde ; plus jamais le géant n'orchestrera les délices et répulsions de ses sphincters dans un petit drame à rebondissements bouffons. En inscrivant l'élève dans le jeu de l'échange social et en lui apprenant à y tenir dignement sa place, le maître a expulsé le corps du discours et l'a relégué dans une intimité désormais muette. En ce sens, l'action de Ponocrates procède du vaste réaménagement culturel qui transforme le statut du corps à partir du XVIᵉ siècle : « Dans l'image du corps individuel vue par les temps modernes, écrit Mikhaïl Bakhtine, le manger, le boire, les besoins naturels ont changé de sens du tout au tout : ils ont émigré dans le plan de la vie courante privée (...) où ils ont pris un sens étroit, spécifique, sans lien aucun avec la vie de la société ou le tout cosmique. »[1] Le « bilan » de l'éducation humaniste est donc incontestablement ambigu. Il fait apparaître à la fois un élargissement et un rétrécissement : si le géant a réussi à abstraire son discours des déterminations organiques et donc à diversifier ses pouvoirs de communication, il n'en a pas moins perdu la capacité de verbaliser la vie corporelle et d'en faire la joyeuse médiation des rapports humains.

Il faut prendre toute la mesure du changement qu'introduit dans le cycle gigantal la rationalisation ponocratique du discours. L'éducation de Gargantua coupe les ponts entre le second récit et le premier : une fonction discriminante est maintenant à l'œuvre, qui sépare de l'imaginaire carnavalesque la production savante des discours. *Pantagruel* était encore sous le régime de l'indifférenciation : les grandes scènes dialoguées mêlaient ou juxtaposaient les références humanistes et le grand fonds « matériel et corporel » de la culture populaire[2]. Cessant de participer d'une culture mixte, le héros proférera désormais un discours entièrement conforme à la dignité des *bonae litterae*. La diète ponocratique ne concerne pas seu-

1. *Op. cit.,* p. 319.
2. Pour reprendre une expression de M. Bakhtine.

lement le corps : elle débarrasse la parole de toutes les boursouflures grotesques qu'y engendrait une poétique exubérante, et impose des normes d'élégance classique et d'efficacité sociale.

Du cri à l'harmonie. — Cette rationalisation des échanges discursifs n'a pas plus tôt accouché d'un « nouveau » Gargantua qu'elle connaît l'épreuve du feu. L'autocontemplation des acquis intellectuels n'est pas de mise dans l'univers rabelaisien : le déclenchement de la guerre picrocholine va permettre de tester la résistance de l'art de parler nouvellement institué et de la philosophie qui le sous-tend. En la personne de Picrochole, le camp des humanistes[1] sera confronté à l'altérité radicale de celui qui refuse l'échange et reste rebelle à toute invocation logique.

L'opposition des deux camps prend d'emblée la forme d'une antithèse : à un Picrochole qui fait immédiatement crier « ban et arrière-ban » répond un Grandgousier soucieux de consulter les siens et d'épuiser l'arsenal des mesures dilatoires avant de se résigner au conflit (« je n'entreprendray guerre que je n'aye essayé tous les ars et moyens de paix ; là je me resouls »[2]). Il est intéressant à ce propos de constater que la réaction de Grandgousier à l'événement passe d'abord par un déploiement solennel de moyens verbaux : le monarque écrit à Gargantua pour réclamer son prompt retour (chap. 29), puis envoie en ambassadeur auprès de Picrochole son maître des requêtes, Ulrich Gallet (chap. 30-31). La proximité de la lettre et de la harangue, renforcée par la gémellité des

1. Notons immédiatement que l'expression « camp des humanistes » ne renvoie pas seulement à l'axe Ponocrates-Gargantua, mais qu'elle englobe aussi Grandgousier et ses subordonnés. Chose étrange en effet : ces derniers, même s'ils n'ont pas été soumis au programme rigoureux de Ponocrates, se comportent exactement comme s'ils l'avaient été. Abstraction faite de Frère Jean, la pratique et la philosophie du discours sont communes à tous les adversaires de Picrochole.
2. Seuil, p. 132 ; GF, *Gargantua*, p. 141.

amples et majestueuses périodes cicéroniennes, n'est évidemment pas innocente. Elle révèle une confiance — qu'on pourra appeler illusion — commune au scripteur et au lecteur : ni l'un ni l'autre ne semble douter de la capacité du beau discours à ordonner le réel et à en résorber les éruptions les plus violentes. En ce sens la harangue de Ulrich Gallet — sans doute l'un des plus extraordinaires morceaux rhétoriques de l'œuvre — apparaît fondée sur un postulat millénaire non dépourvu de candeur eu égard aux circonstances : tout se passe comme si l'orateur, en digne cicéronien[1], n'imaginait pas que la rationalité élégante de sa *declamatio* ne pût être vecteur de résolution des antagonismes. Où règne l'harmonie des structures rhétoriques, l'harmonie des esprits finira bien aussi par régner : tel pourrait être, formulé schématiquement, le postulat humaniste partagé par le roi et son ambassadeur.

Mais quelle perfection formelle ou quelle impeccabilité dialectique peut toucher un Picrochole ? Les meilleurs orateurs du monde ne sauraient entamer la position inexpugnable qu'occupe le souverain impérialiste dans l'espace des discours : le problème ne tient plus à l'obscurité des codes utilisés, comme dans *Pantagruel,* mais à l'impulsivité brutale d'un personnage qui se soustrait rageusement au statut d' « interlocuteur ». C'est toute l'erreur de Grandgousier et des siens — erreur dont quatre siècles de violence et de barbarie ne semblent pas avoir découragé le ressort angélique — que de créditer d'une capacité d'argumentation rationnelle un adversaire qui ne connaît plus que des usages aberrants ou dévoyés du discours. Le rapport que le personnage entretient avec le langage oscille en effet entre deux extrêmes : le discours lapidaire, voire le cri à peine articulé, et la logorrhée fantasmatique. Dès que les fouaciers sont venus se plaindre à lui, Picrochole décrète la mobilisation générale par une cascade d'ordres

---

1. Sur le cicéronianisme au XVIe siècle, voir l'ouvrage essentiel de M. Fumaroli, *L'âge de l'éloquence,* Droz, 1980.

brefs, trop rapidement exécutés pour qu'une organisation efficace en résulte : « envoya sonner le tabourin », « bailla les commissions », « feut par son édict constitué », « commenda »[1]. Le discours direct est totalement absent de ce chapitre — indice, chez Rabelais, d'une atteinte à l'intégrité de la parole. Il faut attendre le célèbre chapitre 33 pour que résonne vraiment la voix d'un Picrochole entraîné par l'imagination conquérante de ses conseillers. On se souvient que dans cette scène, « farce du pot au laict »[2] à plusieurs personnages, le frottement excité des discours finit par produire un délire hégémonique qui bouscule les barrières spatiales (« retiendrez en vostre main Majorque, Minorque, Sardaigne, Corsicque et aultres isles de la mer Ligusticque et Baléare »[3]) et brouille les repères temporels (« Voyre! Mais (dist-il) nous ne beumes poinct frais »[4]). Du déclenchement des hostilités à cette grande scène d'hallucination impérialiste, il apparaît clair que la dialectique de la parole et de l'action souffre chez Picrochole d'une profonde perturbation : soit que les urgences de l'action imposent un usage brutalement minimaliste de la parole (« Tant jazer! dist Picrochole »[5]), soit que la parole refoule toute contrainte objective et confonde dans un élan chimérique le présent et le futur, les projets et leur exécution (chap. 33). Le personnage, on le voit, est plus complexe que ne le laisse penser son rattachement explicite à la théorie des humeurs. Ce serait, en

---

1. Seuil, p. 123 ; GF, *Gargantua*, p. 131-132.
2. C'est Echéphron, « vieux gentilhomme » et « vray routier de guerre », qui fait lui-même la comparaison et dénonce la folie d'une telle entreprise. L'avis isolé du sage conseiller se réclame en l'occurrence d'une logique aussi irréfutable qu'inopérante : si « la fin de tant de travaux et traverses », dit-il en substance, n'est que de revenir se reposer au pays, pourquoi ne pas jouir tout de suite du repos et éviter cette longue suite de « hazars »? L'exhibition claire de l'absurdité n'a malheureusement aucune prise sur le puissant mécanisme collectif de la mégalomanie.
3. Seuil, p. 143 ; GF, *Gargantua*, p. 154.
4. Seuil, p. 144 ; GF, *Gargantua*, p. 155.
5. Seuil, p. 141 ; GF, *Gargantua*, p. 152.

un sens, se débarrasser du problème posé par la guerre picrocholine que d'en rapporter l'origine à la méchanceté atrabilaire de son initiateur. N'oublions pas, pour couper court à toute interprétation schématique, qu'une « sacrée amitié », « inviolablement maintenue »[1], a uni de tout temps Picrochole et Grandgousier : on n'imagine guère ce dernier entretenir des liens étroits d'estime et d'affection avec un souverain stupidement impulsif et méchant. Il ne faut donc pas appréhender le personnage de l'envahisseur en termes de psychologie essentialiste, mais considérer qu'à un certain moment (chap. 26) le jeu relationnel entrave le *logos* et libère des potentialités violentes jusquelà enfouies : les fouaciers, en offrant le spectacle saisissant de leur déroute et en omettant de restituer l'enchaînement des faits, portent une responsabilité au moins égale à celle de Picrochole dans le déclenchement des hostilités. Ce n'est pas tant la bile d'un seul homme que la relation électrique entre une orientation humorale et un discours tronqué qui provoquera le pire.

En définitive, la mise en scène des deux camps oppose moins le « bon roi » au « tyran » impérialiste — un tel manichéisme serait bien peu rabelaisien — qu'elle ne problématise la confrontation de deux pratiques du discours. Nous ne sommes plus dans *Pantagruel* où une vaillante petite troupe guerroyait contre un roi fantoche et des géants de carnaval. En complexifiant la figure de l'ennemi et en s'attachant alternativement aux deux partis en présence, le récit instaure un double point de vue : situation éminemment subtile, où chaque camp est analysable à la lumière de la conduite et des agissements du camp adverse. Si le sens du dialogue et de la mesure qui prévaut

1. Cf. la harangue de Ulrich Gallet (chap. 30). Il faut sans doute faire la part de l'amplification rhétorique dans ce discours. Reste néanmoins, entre autres données objectives, le rappel d'un pacte aux vertus puissamment dissuasives : « de toute mémoire n'a esté prince ny ligue (...) qui ait auzé courir sus, je ne dis poinct voz terres, mais celles de vos confédérez... » (Seuil, p. 137 ; GF, *Gargantua*, p. 146).

chez Grandgousier et les siens sert de repoussoir aux folles impulsions de Picrochole, il ne fait pas de doute que la violence de ce dernier fait office de révélateur en éclairant cruellement les illusions entretenues par le camp humaniste : à la logorrhée fantasmatique et aux cris injonctifs s'oppose une verbosité trop confiante en ses propres pouvoirs. L'amour du verbe conduirait sans doute les géants et leurs auxiliaires à de dangereux atermoiements, si Frère Jean n'était là pour rappeler inlassablement les nécessités de l'action et stigmatiser la propension à la rhétorique de ses compagnons. Grand massacreur et pourfendeur sans états d'âme, le moine sait bien qu'un Picrochole ne comprend que le pouvoir du bâton et de l'épée. Une fois de plus, c'est dans un de ces épisodes brefs et apparemment marginaux qu'éclate l'opposition du moine et de ses compagnons humanistes. Lorsque Frère Jean, emporté par l'élan de son cheval, reste accroché à un arbre et que Gargantua et Eudémon discutent de la pertinence de la comparaison avec Absalon[1], le pendu ne peut retenir sa colère : « Aydez-moi (dist le moine) de par le diable ! N'est-il pas bien le temps de jazer ! »[2] Remarquable récurrence d'un verbe décidément capital dans l'épopée gargantuine : au « Tant jazer ! » de Picrochole fait écho le « N'est-il pas bien le temps de jazer ! » de Frère Jean. L'envahisseur a trouvé à qui parler — ou plutôt, il a trouvé un adversaire qui ne s'embarrasse pas de paroles, et ne fait que la guerre.

Mais la rhétorique exerce une fascination que le pragmatisme de la raison guerrière ne saurait entamer. Les hostilités ne sont pas plus tôt achevées que Gargantua, en émule d'Ulrich Gallet, adresse aux vaincus une vaste et majestueuse harangue, modèle de magnanimité (les soldats de Picrochole seront rétribués par ses soins) et de sagesse

---

1. Personnage biblique, Absalon fut tué par ses ennemis après s'être pris la chevelure dans un chêne.
2. Seuil, p. 166 ; GF, *Gargantua*, p. 185.

reconstructrice (le royaume de l'envahisseur en fuite sera provisoirement administré par Ponocrates). Tout rentre dans l'ordre du langage : les fauteurs de guerre se verront infliger, pour seule punition, l'obligation de tirer les presses de l'imprimerie gargantuine. Une question se pose néanmoins : si la harangue d'Ulrich Gallet n'a pu empêcher l'affrontement, comment la « contion » de Gargantua saurait-elle conjurer le retour de la barbarie ? N'y a-t-il pas quelque idéalisme à croire qu'une générosité ostensible suffira à faire taire tous les appétits de revanche ?

Un lien évident unit la harangue de Gargantua et l'évocation finale de l'abbaye de Thélème : les sages résolutions qui règlent les rapports entre vainqueurs et vaincus préfigurent le programme d'une société sans conflit ni dissonance. Resituée dans la globalité du récit, Thélème apparaît comme la résultante et la consécration du cycle éducatif et du cycle guerrier : après la double éviction de la pédagogie scolastique et de la folie conquérante, place est faite à l'organisation d'une société savante et raffinée, soucieuse au premier chef d'harmonie.

On a beaucoup commenté les ambiguïtés et contradiction qui affectent la légitimation philosophique de l'entreprise (début du chapitre 57). Le plus frappant, dans le fil de notre analyse, est de voir le lieu fondateur d'une sociabilité nouvelle dissoudre les principes actifs de la parole et de la communication : sans doute parle-t-on beaucoup à Thélème, mais les propos « échangés » n'y sont plus que l'ombre du langage. C'est que l'émergence de tout discours singulier est assurée de rencontrer l'assentiment collectif, dans une plate indissociation des besoins, des goûts et des volontés : « Si quelq'un ou quelcune disoit : "Beuvons", tous buvoient ; si disoit : "Jouons", tous jouoient ; si disoit : "Allons à l'esbat ès champs", tous y alloient. »[1] Y a-t-il encore *parole* lorsque disparaît la condition fondamentale d'incertitude qui empêche le locuteur d'antici-

---

1. Seuil, p. 203 ; GF, *Gargantua*, p. 232.

100 / *Pantagruel. Gargantua*

per la réaction de son auditeur ? Les mots prononcés dans les murs de l'abbaye ne sont plus que les vecteurs sans surprise d'une communion qui neutralise toute possibilité dialogique. Conflit, clivage et altérité appartiennent à un monde lointain : aucune surprise, aucun événement ne peut hérisser d'angles vifs le calme hexagone de l'architecture thélémite.

Maints commentateurs ont souligné le caractère fort peu rabelaisien de ces six chapitres utopiques, dont l'écriture abstraite et désincarnée semble refuser de sanctionner les fastes et délices qu'elle égrène : sitôt construite et mise en service, l'abbaye sera d'ailleurs oubliée. C'est que Thélème n'appartient pas à proprement parler à la fiction. Elle est plutôt un « passage à la limite » de la dynamique de rationalisation et de progrès qui anime *Gargantua* — une manière de troubler l'optimisme humaniste en l'inscrivant dans un système dont l'idéalité même fait éclater les dangers et les contradictions. Tout se passe comme si Rabelais, par le biais de Thélème, tendait aux vainqueurs des Thubal Holoferne et des Picrochole l'image d'une dérive possible : à se replier sur une humanité choisie, où circulent les mêmes références intellectuelles et les mêmes options morales, ils ne feraient que ressasser indéfiniment leurs acquis, dans une immobilisation béate du devenir. L'Histoire est là en tout état de cause, qui rend peu probable la réalisation d'un tel rêve : l'inquiétante inscription découverte dans le sous-sol de Thélème vient rappeler — symbole magistral — qu'une violence souterraine corrode et menace l'assise des constructions les plus soustraites en apparence à la tourmente de l'époque. A supposer même que le sens de l'inscription ne soit porteur d'aucun péril, les mots sibyllins du poème n'en provoquent pas moins l'opposition abrupte des deux lecteurs-protagonistes. En aucune manière, la parole ne saurait se réfugier dans une atemporalité pacifiée qui la préserverait des difficultés du rapport à autrui. De combat en débat, elle ne connaît pas le repos : le *Tiers Livre* est déjà à l'horizon.

Le cycle de Pantagruel

On a vu que la chronologie interne du cycle suivait une direction opposée à l'évolution organique de l'œuvre et à la maturation de ses structures. Il faut donc, en toute bonne logique rabelaisienne, considérer que le *Tiers Livre* est à la fois la suite de *Pantagruel* et la suite de *Gargantua*. Sous l'angle de la continuité narrative, le *Tiers Livre* reprend très exactement les personnages où *Pantagruel* les avait laissés[1] : il fournit même, sur les relations entre Utopiens et Dipsodes, une série d'informations et de réflexions essentielles (chap. 1) que le voyage du narrateur dans la bouche du géant avait écartées ; en ce sens, le premier chapitre du *Tiers Livre* est la « conclusion » normale d'une geste interrompue par les défaillances de celui qui s'en prétendait le fidèle chroniqueur. Sous l'angle de l'orchestration des rapports actantiels, il ne fait pas de doute par contre qu'un lien capital unit la fin de *Gargantua* et l'ensemble du *Tiers Livre* : la querelle des dettes (*Tiers Livre*, chap. 3, 4, 5) et la succession des controverses herméneutiques qui rythmeront la quête de Panurge reprennent la structure antagonique du chapitre consacré à l'interprétation de l' « Enigme en prophétie » (*Gargantua*, chap. 58) ; tout se passe, à cet égard, comme si le dernier chapitre de *Gargantua* servait de laboratoire d'essai au *Tiers Livre* — comme s'il testait la résistance d'une structure avant de procéder à son déploiement itératif.

Cette double liaison complexifie notre image d'un cycle dont les étapes n'obéissent qu'en apparence à la loi de succession linéaire : s'il n'y a ni rupture ni ellipse de *Pantagruel* au *Tiers Livre*, l'interposition de *Gargantua* dans

---

1. A une « incohérence » près cependant : la châtellenie de Salmigondis, échue à Alcofrybas à la fin de *Pantagruel*, est attribuée à Panurge au chapitre 2 du *Tiers Livre*.

le processus de rédaction instaure une subtile dénivella-
tion entre les deux récits de la geste pantagruéline. Il faut
y prendre garde en effet : les Pantagruel et Panurge que
nous retrouvons à la fin du *Tiers Livre* ne sont pas exactement ceux que nous avons laissés à la fin de *Pantagruel*.
Des significations et des problématiques nouvelles sont
apparues dans l'intervalle, qui modifient la relation du
géant et de son acolyte. Employons une image : le couple
formé par Gargantua et Frère Jean, tel qu'il s'impose
dans la discussion de l'énigme prophétique, « filtre » le
couple Pantagruel-Panurge et le débarrasse des multiples
particules narratives (aventures parisiennes, aventures
guerrières) qui différaient d'autant le face-à-face des deux
personnages. Elargie aux dimensions d'un Livre entier,
l'aporie finale de *Gargantua* déleste les « faicts et dicts »
du bon Pantagruel de toute matière romanesque ; elle
impose un nouveau régime à la fiction : il n'y a plus, entre
le géant et son acolyte, qu'un dialogue sans cesse avivé
par la divergence des points de vue — une joute sans
horizon perceptible. D'une manière assez curieuse, c'est la
(fausse) conclusion de l'histoire du père qui aura permis à
l'histoire du fils de rebondir et de trouver un prolongement inattendu.

Après *Gargantua,* les questions que les structures de
l'épopée bouffonne enveloppaient ou amuïssaient se
feront entendre dans toute leur force, avec une virulence
nue qui fait du *Tiers Livre* un des textes les plus étonnam-
ment modernes de la Renaissance. Privée des prolonge-
ments et dérivatifs que lui fournissait l'action, la parole
instaure un huis-clos symbolique où s'exacerbe l'indivi-
duation des locuteurs : l'unité euphorique du petit groupe
semble se déliter, à raison de l'affleurement des doutes,
reproches et critiques. En témoigne le jugement d'un Pantagruel sceptique à l'écoute de l'éloge panurgien des
dettes : « J'entends (...) et me semblez bon topicqueur et
affecté à vostre cause. Mais preschez et patrocinez d'icy à
la Pentecoste, enfin vous serez esbahy comment rien ne

me aurez persuadé, et par vostre beau parler jà ne me ferez entrer en debtes. »[1] Où est le Pantagruel qui cautionnait sans réserve les propos les plus folâtres de son « gentil compaignon » ? Panurge n'est d'ailleurs pas en reste, et ne se prive pas, quelques chapitres plus loin, de reprocher au géant ses réponses élusives à la question du mariage : « Vostre conseil (...), soubs correction ressemble à la chanson de Ricochet. Ce ne sont que sarcasmes, moqueries et redictes contradictoires. Les unes destruisent les aultres. Je ne sçay ès quelles me tenir. »[2] L'aigreur, on le voit, n'est pas loin. Même le bon Gargantua, un peu marginalisé par les débats et polémiques que suscite l'indécision panurgienne, ne peut s'empêcher d'émettre quelques réflexions amères après avoir écouté le philosophe sceptique Trouillogan : « A ce que je voy, le monde est devenu beau filz, depuis ma congnoissance première. En sommes-nous là ? »[3] Le géant subit la même épreuve cruelle que les humanistes vieillissants de tous les siècles : il ne reconnaît plus le monde qui se déploie sous ses yeux. Les quatorze années qui séparent *Gargantua* du *Tiers Livre* ont suffi pour que le père ne se sente plus en accord avec son époque : sans doute faut-il lire, derrière cette réaction désabusée, l'assombrissement du contexte politico-religieux et la crise des formes conquérantes de l'humanisme. Le cycle gigantal ne renouera jamais avec l'ambiance des deux épopées : les allégories grotesques et les figures monstrueuses des *Quart Livre* et *Cinquième Livre* imposeront l'image d'un monde inquiétant et boursouflé, victime d'une dissolution généralisée des repères et des structures.

Pourtant, à y regarder de près, est-ce bien à un univers fondamentalement différent que nous introduisent les trois derniers récits ? Ne nous feraient-ils pas explorer

1. Seuil, p. 389.
2. Seuil, p. 402.
3. Seuil, p. 503.

l'autre versant d'une question qui domine toute l'œuvre de Rabelais ? *Pantagruel* et *Gargantua* ont en effet mis en scène l'ivresse créatrice d'une parole délivrée de ses vieux carcans ontologiques ; le *Tiers Livre,* le *Quart Livre* et le *Cinquième Livre* mettront l'accent sur l'angoisse qui résulte pour chaque homme de la nécessité d'endosser la responsabilité de son discours. Après le « Fay ce que vouldras » joyeusement convivial, le « Fay ce que vouldras » fiévreux, perplexe et désorienté : la liberté démiurgique se paie du devoir d'inventer notre vie à chaque instant, dans une solitude qu'aucune réponse extérieure ne viendra jamais combler. Panurge, sournois comme à son habitude, cherche par tous les moyens — recours aux présages, conseils d'autrui — à se décharger de l'obligation de décider et d'agir. Le bateleur-protéiforme de *Pantagruel* ne savait pas que la griserie de l'autonomie avait pour revers l'incertitude et l'angoisse : il l'apprend désormais à ses dépens — ou plutôt refuse obstinément de l'apprendre et se débat, persuadé qu'une instance étrangère saura lui dicter sa conduite et l'arracher au vertige interrogatif.

Il n'y a donc pas de sens, comme l'ont fait jadis certains commentateurs, à regretter que le Panurge du *Tiers Livre* ne soit plus Panurge. L'acolyte de Pantagruel n'est pas un héros de Balzac ou de Stendhal : que l'audacieux trublion des débuts du cycle soit devenu un interrogateur d'augures frileux et plaintif n'affecte en rien la cohérence générale de la problématique rabelaisienne. « Bon à tout » de par son nom, Panurge focalise les postulations contradictoires d'une époque qui oscille entre action démiurgique et soumission à l'ordre du monde.

La quête entreprise par un personnage aussi ambivalent ne pouvait s'achever que dans un paradoxe ironique : l'oracle de la Dive Bouteille délivre un anti-oracle, qui ne fait que renvoyer le demandeur à sa responsabilité (« soyez vous mesmes interprètes de vostre entreprinse »[1]). Pantagruel n'avait rien dit d'autre lorsque Panurge l'avait interrogé la première fois, et la « règle » thélémite n'énonçait rien d'autre non plus. Faut-il conclure que du début du *Tiers Livre* à la fin du *Cinquième Livre* la petite troupe des personnages s'est agitée en pure perte, allant chercher au prix de longs et dangereux voyages maritimes une vérité qu'elle avait sous les yeux, immédiatement disponible ? Certainement pas. Une chose est en effet la proclamation d'une vérité, autre chose son incarnation. Au fil des questions, débats, pérégrinations et errances, l'évidence d'un monde désarticulé et muet aura fini par s'imposer aux personnages, parfois même à leur corps défendant ; ils savent maintenant qu'aucun signe ne peut prescrire à l'homme sa conduite : c'est l'homme lui-même, comme le dira Sartre quatre siècles plus tard, qui « déchiffre le signe comme il lui plaît »[2]. Les aventures de Panurge — l'aventure de son imprescriptible pouvoir de décision et d'action — commencent au moment où s'achève le cycle gigantal.

1. Seuil, p. 909.
2. Jean-Paul Sartre, *L'existentialisme est un humanisme*, Nagel, 1946, rééd. 1970, p. 49.

Fortune de
« *Pantagruel* » et « *Gargantua* »

Réceptions

Pantagruel conquiert immédiatement le public, et fait l'objet d'au moins sept éditions en trois ans. Un tel succès n'a pu qu'inciter Rabelais à exploiter et approfondir une structure narrative aussi fructueuse. Pari gagné : l'apparente redondance de *Gargantua* ne l'empêche pas d'être plus volontiers cité par les contemporains, du fait de l'enracinement de la légende gargantuine dans le fonds culturel et folklorique.

Dès les années 1530, et pour au moins trois siècles, une curieuse distorsion s'installe entre la réception socio-idéologique des deux textes et leur intégration culturelle. Très tôt, les personnages rabelaisiens et les épisodes principaux de la geste deviennent consubstantiels au « génie français », qui semblait n'attendre qu'eux pour monter sur la grande scène de l'imaginaire universel : la France a désormais les moyens de jouer sa partie au milieu d'Homère, Virgile et Dante. L'accueil réservé au texte par les contemporains n'en prend pas moins un tour conflictuel : les attaques à la fois intellectuelles et institutionnelles dont il fait l'objet témoignent de sa complexité idéologique, et de son impossible instrumentalisation dans une période marquée par les raidissements doctrinaux. Fait significatif, Rabelais s'attire les foudres conjuguées de la Sorbonne et de Calvin : les géants sont bannis de Genève en 1550, alors que les théologiens parisiens les avaient soupçonnés de propagande évangélique quelques années plus tôt. L'œuvre est ainsi attaquée sur plusieurs fronts : même un humaniste comme Guillaume Postel dénonce, dans son *Alliance du Coran et des Evangiles,* le libertinage que recouvre le « Fay ce que vouldras » thélémite.

Mais c'est surtout l'attaque au nom des *bonae litterae* et d'un « bon goût » en voie de cristallisation qui connaîtra une longue postérité : dès 1533, le poète néo-latin Nicolas de Bourbon stigmatise, dans ses *Bagatelles,* les billevesées populacières où se complaît l'auteur de *Pantagruel.* Les XVIIᵉ et XVIIIᵉ siècles ritualiseront cette critique, et les éditions de Rabelais y accuseront d'ailleurs un certain fléchissement. Si Mme de Sévigné manque de « mourir de rire » en entendant son fils lire quelques pages du « bon auteur », et si l'Ingénu de Voltaire se déclare « fort content » de sa lecture, l'esthétique classique et le rationalisme des Lumières ne pouvaient guère s'accommoder d'une œuvre aussi excentrique et inclassable. *Les Caractères* de La Bruyère inaugurent une longue série de jugements en forme d'oxymore : « Rabelais (...) est incompréhensible : son livre est une énigme, quoi qu'on veuille dire, inexplicable ; c'est une chimère, c'est le visage d'une belle femme avec les pieds et une queue de serpent ou de quelque autre bête plus difforme ; c'est un monstrueux assemblage d'une morale fine et ingénieuse et d'une sale corruption. »[1] Voltaire ne dira pas autre chose lorsqu'il déclarera, dans ses *Lettres philosophiques,* que l'œuvre de Rabelais est un mélange d' « érudition », d' « ordures » et d' « ennui » ; s'il apprécie l'anticléricalisme de *Pantagruel* et *Gargantua,* il n'en reste pas moins convaincu que chacun des deux récits mériterait d'être « réduit tout au plus à un demi-quart ».

Cette aspiration à un texte condensé et expurgé est caractéristique du XVIIIᵉ siècle : dans son *Rabelais moderne* (1752), l'abbé de Marsy bannit les tournures dialectales et archaïques, expulse les obscénités, et de son côté la *Bibliothèque universelle des romans* publie en 1776 un texte édulcoré « à l'intention des dames ».

---

1. La Bruyère, *Les Caractères,* Livre de Poche, 1973, p. 42.

Il faut attendre le XIXᵉ siècle pour que se fasse jour une compréhension nouvelle de l'œuvre, fondée sur la reconnaissance de son unité organique. Le rythme des éditions s'accélère, l'iconographie s'enrichit : la puissance visionnaire des illustrations de Gustave Doré demeure un chef-d'œuvre incontestable de rencontre entre le texte et l'image. Dans son *Essai sur la littérature anglaise,* Chateaubriand critique l'étroitesse de l'approche voltairienne et avance l'idée, largement mise à contribution par le romantisme, des « génies-mères » et des « esprits-phares de l'humanité » : comme l'*Iliade* ou l'*Odyssée,* la geste rabelaisienne déploie un imaginaire où de nombreux siècles de création littéraire et culturelle pourront puiser leurs thèmes et leurs motifs.

La brèche était ouverte où la mystique hugolienne allait s'engouffrer : « Homère bouffon », « Eschyle de la mangeaille », le Rabelais évoqué dans *William Shakespeare* fait du rire le ressort de son épopée, et du ventre le principe organisateur d'un univers où grotesque et sublime ont partie liée. « Tout génie a son invention ou sa découverte, écrit Hugo ; Rabelais a fait cette trouvaille, le ventre » : ce « rieur redoutable » chez qui « l'intestin côlon est roi » a intronisé une « dynastie de ventres, Grandgousier, Pantagruel, Gargantua » ; comme Dante il s'est emparé de l'univers, et il l'a fait tenir « au dedans d'une futaille monstre »[1].

Dans le sillage de la célébration hugolienne, Michelet salue en Rabelais le Colomb de l'esprit : « Il serait ridicule de comparer le *Gargantua* et le *Pantagruel* à *La Divine Comédie.* L'œuvre italienne, inspirée, calculée, merveilleuse harmonie, semble ne comporter de comparaison à nulle œuvre humaine. Toutefois, ne l'oublions pas, cette harmonie est due à ce que Dante, si personnel dans le détail, s'est assujetti dans l'ensemble, dans la doctrine, dans la composition même, à un système tout fait,

---

1. Victor Hugo, *William Shakespeare,* Flammarion, 1973.

au système officiel de la théologie (...) Directement contraire est la tendance de Rabelais. Il cingle à l'est, vers les terres inconnues. L'œuvre est moins harmonique ; je le crois bien. C'est un voyage de découverte. »[1]

La célébration mystique n'est pas l'apanage du XIXᵉ siècle. On trouverait des déclarations analogues chez plus d'un écrivain du XXᵉ siècle, de Claudel à Céline. La prodigieuse inventivité rabelaisienne ne pouvait qu'être en consonance avec des recherches les plus modernes sur le langage et les métamorphoses les plus audacieuses de l'écriture.

Reste qu'au seuil du XXIᵉ siècle l'univers intellectuel et verbal de Rabelais s'éloigne de plus en plus rapidement du nôtre, et que le lecteur contemporain, rebuté par sa complexité, risque de n'en retenir que quelques motifs conventionnels et figures affadies : c'est toute la tâche des éditions aujourd'hui que de proposer un appareil de notes et de commentaires qui ne décourage ni n'exclue l'appropriation ludique du texte.

Descendances

Il est naturellement impossible de répertorier les multiples « suites », adaptations, contrefaçons, pastiches et traductions plus ou moins libres dont *Pantagruel* et *Gargantua* ont fait l'objet au fil des siècles.

La verve des deux récits a suscité d'emblée des émules et des imitateurs : *Le Disciple de Pantagruel* (1538), ouvrage collectif publié sous le pseudonyme de Jean d'Abondance, décrit des exploits gigantaux au pays de Cocagne, et le *Songe de Pantagruel* (1542), de François Habert, met dans la bouche des protagonistes de Rabelais un plaidoyer en faveur du mariage des prêtres.

Un mouvement de traduction s'amorce dès le XVIᵉ siècle.

1. Michelet, ouvr. cité, p. 387.

Une mention particulière doit être faite de l'étrange entreprise de Johannes Fischart, docteur en droit de l'Université
de Bâle : en 1574, cet humaniste réformé élabora une tra-
duction-amplification de *Gargantua* « considérée par la critique comme un des ouvrages les plus grotesques, les plus
informes, les plus étranges, les plus invraisemblables de la
littérature allemande »[1]. Fischart multiplie en effet par trois
la longueur du récit initial, ajoutant des péripéties et allon-
geant les énumérations : les jeux du jeune Gargantua s'en-
flent démesurément, ainsi que les propos des « bien-yvres ».
Un maniérisme grotesque s'empare de l'œuvre au point
d'en dissoudre la trame narrative. Cette refonte de *Gargan-*
tua connut de nombreuses rééditions, et il faudra
attendre 1832 pour qu'une traduction fiable soit offerte
au public allemand. Nettement plus « sérieuse » fut l'entreprise de Sir Thomas Urquhart, médecin anglais qui tradui-
sit Rabelais au milieu du XVIIe siècle, et dont le texte à la fois
fidèle et pétulant fut réédité jusqu'au début du XXe siècle.

Dès la Renaissance, l'œuvre fait l'objet d'enrôlements
dans des luttes idéologiques aussi diverses qu'étrangères à
l'univers rabelaisien : du XVIe au XXe siècle, Pantagruel,
Panurge et Gargantua seront fréquemment arrachés à
leur imaginaire nourricier pour se transformer en vecteurs
commodes d'une satire politique, sociale ou religieuse.
En 1549, un prétendu *Ve livres des faictz et dictz du noble*
Pantagruel dénonce violemment l'Eglise et la Cour, de
même qu'en 1615 et 1623 le *Nouveau Panurge* et sa *Suite*
attaqueront les réformés du Dauphiné et les « Confé-
rences » entre catholiques et protestants. Musset, dans la
Revue fantastique, fera de Pantagruel le héraut de la
monarchie constitutionnelle, et Léon Daudet stigmati-
sera la classe politique de son temps dans les *Dicts et*
pronostications d'Alcofrybas Deuxième pour le bel
an MCMXXII.

L'imagerie foisonnante de Rabelais et ses emprunts

1. Alfred Berchtold, *Bâle et l'Europe,* Payot, 1990.

nombreux à la farce populaire et au Carnaval devaient naturellement appeler les transpositions théâtrales. Le XVIIe siècle se livre à cet égard à un curieux exercice de détournement culturel : les personnages rabelaisiens deviennent les héros de mascarades et de ballets de cour. En 1622, on danse à Blois une mascarade intitulée *Naissance de Pantagruel,* où figurent le tout jeune géant, sa nourrice, Frère Jean et Panurge. Quelques années plus tard, un ballet des Andouilles, représenté au Louvre, s'inspirera d'un épisode fameux du *Quart Livre.* Il va sans dire qu'en mettant l'accent sur le délire burlesque et le chatoiement hallucinatoire, cette appropriation cérémonielle des thèmes et personnages rabelaisiens ne pouvait qu'en affadir la signification.

Il faut sans doute attendre Alfred Jarry pour qu'une transposition dramatique renoue avec la verve et l'irrévérence originelles : l'auteur d'*Ubu Roi* collabore avec Eugène Molder, en 1910, à la création d'un *Pantagruel,* opéra bouffe en cinq actes. Trois ans plus tard, Massenet compose la musique d'un *Panurge, haute farce musicale en 3 actes.* Mais c'est sans doute le *Rabelais* de Jean-Louis Barrault, monté à l'Elysée-Montmartre en 1968, qui sut le mieux retrouver la veine carnavalesque et populaire : sur une musique de Michel Polnareff et dans des costumes inspirés de Jérôme Bosch, ce spectacle connut un immense succès, confirmé par la tournée mondiale de la compagnie Renaud-Barrault. « Rabelais, écrivait Jean-Louis Barrault en des termes tout empreints de mystique hugolienne, c'est un arbre. Ses racines sucent la glaise et le fumier. Son tronc est roide comme un phallus. Son feuillage est encyclopédique (le mot vient de lui). Sa floraison rejoint Dieu... Il avait prévu l'exploration de la terre, de Jules Verne à Gagarine. Et son époque est la nôtre. »[1]

1. Cité par Guy Demerson, ouvr. cité, p. 177.

Interprétations

Dès la seconde moitié du XIXᵉ siècle, l'orientation positiviste de la recherche littéraire donne un essor décisif à l'analyse philologique et historique de l'œuvre de Rabelais : problèmes de datation et d'éditions, établissement des variantes, étude des sources et du contexte historique sont désormais à l'honneur. A partir de 1903, la fondation de la Société des Etudes rabelaisiennes permet de centraliser les recherches françaises et anglo-saxonnes. Une intense activité scientifique se déploie dans les revues successives de la société et aboutit, à partir de 1912, à la publication échelonnée d'une édition critique des œuvres de Rabelais sous la direction d'Abel Lefranc. Ce dernier, dans les introductions qu'il consacre à *Pantagruel* et *Gargantua,* se montre soucieux de rattacher la conception littéraire au contexte politique, social, intellectuel et religieux ; répertoriant méticuleusement les données biographiques et topographiques, il voit par exemple l'origine de la guerre picrocholine dans un procès qui a opposé le père de Rabelais au seigneur de Lerné.

Le travail d'Abel Lefranc ne se réduit pas cependant à cette enquête pointilliste : il se donne pour tâche de dévoiler la « pensée secrète de Rabelais », et finit par conclure à un athéisme rationaliste dont les articles les plus audacieux se dissimulent sous les espèces du paradoxe et de la bouffonnerie. Il ne fait pas de doute, pour Abel Lefranc, que « toute notion de l'immortalité de l'âme est absente » de la lettre de Gargantua à Pantagruel, et que la résurrection d'Epistémon parodie et ridiculise les miracles du Nouveau Testament.

C'est contre cette thèse que s'insurge l'ouvrage célèbre de Lucien Febvre, *Le problème de l'incroyance au XVIᵉ siècle. La religion de Rabelais* (1942). Dénonçant le péché d'anachronisme où serait tombé d'après lui son prédécesseur, Lucien Febvre assemble une immense documentation qui vise à reconstituer l'outillage mental, intel-

lectuel et spirituel des hommes de la première Renaissance : nourris d'évangélisme érasmien, dit en substance
l'auteur, ni *Pantagruel* ni *Gargantua* ne pouvaient développer un rationalisme athée dont les années 1530 n'offrent nullement les conditions d'émergence. La thèse de
Lucien Febvre, désormais classique, se fonde sur un postulat méthodologique dont on n'a pas manqué de discuter
la validité : pourquoi envisager l'écrit à partir des faits, et
s'interdire de réexaminer les prétendus « faits » à la
lumière de l'écrit ? S'il est vrai, comme le répète Lucien
Febvre, qu'une œuvre n'échappe pas aux cadres mentaux
et aux déterminations intellectuelles de son époque, il est
tout aussi vrai qu'elle ébranle les postulats dominants en
cristallisant des tendances éparses, marginales ou
hésitantes.

La publication du livre de Mikhaïl Bakhtine — *L'œuvre
de Rabelais et la culture populaire au Moyen Age et sous la
Renaissance* —, écrit en 1940, publié à Moscou vingt-cinq
ans plus tard et traduit en français en 1970, constituera
une nouvelle étape du débat. L'option générale du livre
continue d'alimenter des polémiques et de susciter d'im-
portantes questions de méthode. Se réclamant d'un
« marxisme vivant et enrichissant », l'auteur entend
replacer Rabelais dans le mouvement millénaire de la
culture populaire : *Pantagruel* et *Gargantua* s'inscrivent,
dit Bakhtine, dans l'histoire d'un rire « ambivalent » qui,
des saturnales romaines au Carnaval du Moyen Age,
« précipite non seulement vers le bas, dans le néant, dans
la destruction absolue, mais aussi dans le bas productif,
celui-là même où s'effectuent la conception et la nouvelle
naissance, d'où tout croît à profusion »[1]. Il y a pour
Bakhtine une *histoire du rire,* dont les vicissitudes et les
glissements ont pour effet de nous éloigner de Rabelais :
les transformations culturelles amorcées dès la fin du
XVIe siècle érodent inéluctablement ce rire « universel » lié

1. Mikhaïl Bakhtine, ouvr. cité, p. 30.

aux forces telluriques et à l'effervescence biologique. Apparaissent alors les formes circonscrites et subjectives du rire — humour, satire, ironie — au travers desquelles il serait anachronique et stérile de vouloir appréhender l'univers de Rabelais. L'immense mérite de l'analyse bakhtinienne, et sa contribution décisive aux études rabelaisiennes, fut d'ouvrir une vaste enquête d'anthropologie culturelle et de resituer dans une cohérence générale les motifs populaires à l'œuvre chez Rabelais : vocabulaire de la place publique, thèmes et formes de la fête carnavalesque, rôle prépondérant joué par le « bas corporel ». Reste à envisager, avec plus de rigueur que ne l'a fait Bakhtine, la conjonction ou le mode d'entrelacement de l'intellectualité humaniste et de la festivité populaire : *Pantagruel* et *Gargantua* restent des ouvrages écrits pour des lettrés dotés d'une vaste culture, et ne sauraient se réduire à une collection de thèmes et de formes carnavalesques. Il y aurait donc intérêt, à la suite de l'énorme brèche ouverte par Bakhtine, à s'interroger sur les opérations de refonte esthétique et intellectuelle des grands thèmes populaires.

Le livre tonique de Jean Paris, *Rabelais au futur* (1970), a lui aussi marqué une revitalisation des études rabelaisiennes, même si ses conclusions ont pu faire l'objet de virulentes contestations de la part des « rabelaisants » autorisés. « S'il fallait décidément regarder Rabelais comme le premier grand écrivain révolutionnaire, écrit Jean Paris, ce serait moins pour sa lutte contre la guerre et l'ignorance (...) que pour sa conception d'une écriture dont quatre siècles n'ont pas épuisé les pouvoirs de contestation. »[1] Pour l'auteur, une entreprise généralisée de subversion du langage innerve l'œuvre de Rabelais : elle arrache les signes à leur transcendance autoritaire et les jette dans le tourbillon d'un monde voué aux combinatoires infinies. Si le livre de Jean Paris paraît, rétrospecti-

---

1. Jean Paris, ouvr. cité, p. 49.

vement, marqué par les automatismes sémiotico-
marxistes de la fin des années soixante, et s'il n'évite pas
toujours les anachronismes — Rabelais fils de Saus-
sure — il n'a pas moins ouvert une série d'interrogations
avec lesquelles les études rabelaisiennes doivent désormais compter.

Si les vingt dernières années n'ont pas vu paraître d'ouvrage fondamental sur Rabelais — l'heure n'est décidément pas aux constructions globalisantes —, un travail
minutieux et souvent passionnant d'analyses critiques se
poursuit dans de multiples revues françaises et étrangères.
La collecte n'en est que plus malaisée, hasardeuse, et
réclame de chacun de nous la curiosité « infatigable et
stridente » d'un Pantagruel.

Explication de texte

Les perplexités d'un père
(Pantagruel, chap. 3)

Le chapitre 3 de *Pantagruel* jouit d'un statut particulier au début du récit. Ni sa forme (le monologue contradictoire) ni sa tonalité (à la fois funèbre et bouffonne) ne l'apparentent à la série d'épisodes qui précède (les circonstances de la « nativité du très redoublé Pantagruel », chap. 1 et 2) et à celle qui suit immédiatement (« De l'enfance de Pantagruel », chap. 4). Un suspens momentané de la geste gigantale se produit dans ce chapitre, marqué significativement par la prédominance du discours sur la narration : devant l'irruption simultanée de la vie et de la mort, la surhumanité du géant cède la place au *trop humain* de l'interrogation et de la perplexité.

Un dialecticien suffoqué

Le premier paragraphe enferme Gargantua dans un de ces dilemmes douloureux qui engagent les ressorts les plus charnels et fondamentaux de l'affectivité humaine : le géant doit-il pleurer l'épouse morte en couches, ou se réjouir de la naissance du petit garçon « tant riant » et « tant joly » ? Le potentiel pathétique de l'épisode est d'emblée neutralisé par le questionnement mécanique où se déploient les affres du personnage. A cet égard, les analyses que Bergson consacre au comique de situation semblent directement inspirées par les perplexités de Gargantua : « supposez maintenant, dans un homme bien vivant, deux sentiments irréductibles et raides ; faites que l'homme oscille de l'un à l'autre ; faites aussi que cette oscillation devienne franchement mécanique en adoptant la forme connue d'un dispositif simple, usuel, enfantin : (...) vous aurez du *mécanique dans du vivant,* vous aurez du comique »[1]. Une formalisation rigoureusement binaire (« D'un cousté... », « de l'aultre... » ; « D'un costé et d'aultre ») donne en effet à la situation la netteté d'un cas d'école : pareil à l'âne de Buridan qui ne savait choisir entre seau d'eau et botte de foin, Gargantua s'enferme dans une tension à résultante nulle. Non seulement la juxtaposition des arguments *pro et contra* ne peut imprimer au discours aucune impulsion pragmatique, mais elle en exclut la simple possibilité : à la lumière d'une évaluation strictement rationnelle, la légitimité de la joie n'est pas plus forte que celle des pleurs, et réciproquement. Telle est l'erreur fondamentale du géant — et l'origine de l'indéniable cocasserie du premier paragraphe — que d'appliquer les méthodes scolastiques à une situation de bouleversement affectif. Tout se passe comme si le personnage croyait à la possibilité d'une gestion intellectuelle de ses émotions : la douleur, curieusement assimilée à une difficulté d'ordre intellectuel (« le doubte que troubloit son entendement »), réclame des procédures de traitement dialectiques créditées d'une valeur thérapeutique (« il faisoit très bien *in modo et figura* [...] ses argumens sophisticques »).

Le mouvement même du paragraphe témoigne, s'il en était besoin, de l'inanité de ces techniques d'intellectualisation : la similitude structurale et sémantique de la première et de la dernière phrase (deux adjectifs : « esbahy et perplex »/ deux participes suivis d'un comparant : « empestré comme la souriz empeigée ou un milan prins au lasset ») renvoie à la stagnation absolue du débat contradictoire. Remarquable est à cet égard la double comparaison finale, qui réduit le géant à la condition d'animal piégé : sous l'effet d'un paradoxe dont l'œuvre de Rabelais est coutumière, l'appréhension exagérément

1. Bergson, *Le rire,* 1900, rééd. PUF, 1972.

abstraite et logicienne des problèmes ne parvient qu'à provoquer l'irruption de l'animalité la plus pitoyable. Qui veut faire le dialecticien fait la bête : telle pourrait être la glose lapidaire suscitée par l'ensemble du paragraphe.

De la vache au veau, et « vice versa »

Le premier discours de Gargantua inflige plus d'une déformation bouffonne au genre traditionnel de la déploration funèbre. D'abord parce que les lamentations y apparaissent comme le résultat d'une délibération intellectuelle : « Pleureray-je ? disoit-il. Ouy, car pourquoy ? » Cette question initiale, indice d'un recul critique bien improbable, est presque immédiatement submergée par la vague des exclamations et interrogations ponctuées d'onomatopées douloureuses (« Ha... », « Ha... ») : nul ne saurait être bien longtemps l'arbitre réfléchi de ses propres émotions. Mais la caractéristique la plus originale du passage est sans doute l'émergence de l'obscénité dans la trame conventionnelle de la déploration funèbre : au poncif désigné comme tel (« Ma tant bonne femme (...) qui estoit la plus cecy, la plus celà ») succède en effet un étonnant mélange de tendresse mignarde et de démesure obscène (« Ha, Badebec, ma mignonne, m'amye, mon petit con (toutesfois elle en avoit bien troys arpens et deux sexterées) »), avant qu'une expression sagement rhétorique de la douleur ne conclue le discours (« Ha, faulce mort, tant tu me es malivole, tant tu me es oultrageuse, de me tollir celle à laquelle immortalité appartenoit de droit ! »). Le surgissement bouffon de l'attendrissement sexuel renforce l'absence de caractérisation de la figure maternelle. Entre les louanges comiquement dépersonnalisées et l'exactitude des mensurations vaginales, l'identité de Badebec se dissout dans une fonctionnalité fantasmatique : la mère est l'origine démesurée mais effaçable de la geste masculine.

Le paragraphe qui sépare le premier et le second discours de Gargantua rappelle par sa construction binaire (« Et, ce disant... mais... ») le paragraphe d'ouverture. Mais la binarité s'est déplacée : la division argumentative du début a disparu derrière l'alternance brutalement physique des affects. Une fois de plus, la situation de Gargantua inspire à l'auteur une double comparaison animale : « pleuroit comme une vache... rioit comme un veau ». Comparaison déroutante au premier abord, et qu'il ne faut évidemment créditer d'aucune pertinence zoologique. Attesté par d'autres passages de l'œuvre[1], le groupe lexical figé « pleurer comme une vache » fait ici l'objet d'une étonnante réactivation : le rapport de filiation qui unit le veau à la vache manifeste la parenté profonde des pleurs et des rires, leur commune inaptitude à dépasser le registre animal des émotions et à prendre en charge la globalité de la situation.

Le second discours de Gargantua multiplie les exclamations et injonctions jubilatoires. A l'itération pitoyable des « Ha » succède presque sans transition l'accumulation pressée et gaillarde des « Ho »[2]. Une énumération haletante d'impératifs domine le discours, comme s'il s'agissait de conjurer le retour de la tristesse par une saturation d'activités festives : « Beuvons, ho ! laissons toute mélancholie ! Apporte du meilleur, rince les verres, boute la nappe, chasse ces chiens, souffle ce feu, allume la chandelle, ferme ceste porte, taille ces souppes, envoye ces pauvres, baille leur ce qu'ilz demandent ! » Mais un tel emportement, qui procède sans doute plus du désir de griserie que d'une joie assurément fondée, ne peut résister au rappel de la réalité : l'écho de la prière pour les morts

1. Cf. l'attitude du jeune Gargantua devant le page Eudémon : « Toute la contenence de Gargantua fut qu'il se print à plorer comme une vache... » (Seuil, p. 83 ; GF, *Gargantua,* p. 93).
2. Notons à ce propos la remarquable cohérence phonique du passage : la voyelle « o » est associée au rire (« Ho », « veau ») et la voyelle « a » aux pleurs (« Ha », « vache »).

ramène Gargantua aux pensées les plus funèbres. Comme
le premier discours, celui-ci est suivi de l'expression « ce
disant » — symétrie qui témoigne de l'oscillation mécanique et potentiellement interminable où le géant s'est
enferré. Le paragraphe de transition laisse en effet entre-
voir un retour pur et simple aux lamentations initiales :
« tout soubdain fut ravy ailleurs... ». Happé tour à tour
par une émotion et son contraire, Gargantua vit
l' « impossibilité d'unir les séquences en une *tierce* qui les
englobe »[1].

Un géant montaignien ?

C'est alors qu'intervient une rupture décisive, clairement signifiée par la question liminaire du troisième discours : « Seigneur Dieu, faut-il que je me contriste
encores ? » Une dimension réflexive et critique s'introduit
dans les propos du géant, créant les conditions d'un arrachement à l'alternance des affects contradictoires. Paradoxalement, c'est en assumant son humanité la plus
concrète et la plus vulnérable que Gargantua découvre
une issue à la crise qui le paralysait : « je ne suis plus
jeune, je deviens vieulx, le temps est dangereux, je pour-
ray prendre quelque fiebvre ; me voylà affolé ». Le retour
sur soi est vecteur de résolution et d'action : l'humble
prise en compte du processus vital offre un point d'appui
que ne pouvaient fournir les procédures de l'argumentation rationnelle. Il y a dans cette délivrance une curieuse
prémonition de la méthode montaignienne : ni l'appareil
extérieur de la logique ni l'abandon à l'impulsivité des
affects ne peuvent nous permettre de résoudre les problèmes de cette vie ; seule une rigueur subjective y parviendra, soucieuse d'édicter et de modifier ses règles au
regard de la durée organique de l'individu. Qu'importe

1. Jean Paris, *op. cit.*, p. 136.

dès lors que le géant fasse « défiler, en version simplifiée et grossièrement exagérée, les lieux communs les plus rebattus de la consolation »[1] : l'essentiel, comme chez Montaigne, est dans la coïncidence de la parole et de la vie, non dans l'originalité du propos. Le normatif (« il me fault... ») se déduit désormais de l'effectif (« je ne suis plus... ») : surmontant la juxtaposition stérile des paradigmes antithétiques, la « syntaxe du raisonnement pratique »[2] s'appuie sur une hiérarchisation des priorités (« il vault mieux ») pour articuler un futur proche bien concret.

La résolution de Gargantua se traduit en effet par une série d'injonctions précises : « Mais voicy que vous ferez, dict-il ès saiges femmes... » C'est à une division des tâches qu'aboutit le monologue délibératif du géant : aux sages-femmes les pleurs et la participation au service funèbre, au père la charge du nouveau-né et la boisson revigorante. Il est remarquable que la binarité continue d'organiser l'épisode, par-delà l'éviction de sa modalité mécanique et paralysante : « A quoy obtempérantz, allèrent à l'enterrement et funérailles, et le pauvre Gargantua demoura à l'hostel. » La binarité n'est pas *dépassée* mais *déplacée* : nulle synthèse dialectique ne pouvant surmonter l'opposition de la thèse (les pleurs) et de l'antithèse (le rire), la seule issue réside en un changement de perspective où l'instinct de conservation commande l'activité et en organise la distribution. Tandis que les femmes pleurent et se lamentent, l'époux et père rédige une épitaphe : en inscrivant sa douleur dans un *texte,* Gargantua échappe à la mouvance des discours contradictoires et clôt définitivement l'épisode de la mort de Badebec. Comment ne pas voir à cet égard que le dernier vers de l'épitaphe (« Et mourut l'an et jour que trespassa »), par-delà

---

1. Michael Screech, *op. cit.,* p. 85.
2. Heureuse expression que j'emprunte à Paul Ricœur, *Du texte à l'action,* Seuil, 1986, p. 242.

la tautologie bouffonne qu'il énonce, renferme la vérité profonde de la conclusion du chapitre? L'épouse est bien morte le jour de sa mort, c'est-à-dire que son fantôme ne vient plus hanter l'époux et l'empêcher d'inventer son propre devenir.

Car tel est bien au fond l'enjeu de ce chapitre essentiel : l'aptitude de l'homme à dépasser le cercle de la répétition et à s'ériger en acteur de sa propre durée. Le Gargantua de la fin n'est plus celui du début : il a désormais un passé (que fige sans ambiguïté la rédaction de l'épitaphe), un présent (la conscience de sa propre fragilité) et un avenir en la personne de son fils. Sur ce dernier point, la lettre à Pantagruel reviendra magnifiquement quelques chapitres plus loin : « Je rends grâces à Dieu, mon Conservateur, de ce qu'il m'a donné povoir veoir mon antiquité chanue refleurir en ta jeunesse... »

Bibliographie sélective

ŒUVRES DE RABELAIS

Editions d'ensemble

La grande édition critique des œuvres de Rabelais sous la direction d'Abel Lefranc comprend 6 volumes, et n'est pas complète : le dernier volume s'arrête au chapitre 17 du *Quart Livre*. Le texte est divisé comme suit :
— t. I et II : *Gargantua* ; t. III et IV : *Pantagruel* ; t. V : *Tiers Livre* (ces 5 tomes ont été publiés chez Champion, 1913-1931) ;
— t. VI : *Quart Livre* (chap. 1 à 17), Droz, 1953.

Parmi les éditions destinées au grand public, la plus commode à ce jour est incontestablement celle de Guy Demerson, utilisée dans le présent ouvrage : elle a le double mérite d'offrir un appareil de notes très complet et de présenter, en regard du texte original, une « translation » en français moderne, fort précieuse pour les lecteurs peu familiarisés avec la langue du XVIᵉ siècle.

Editions partielles

Comme il est rappelé dans cet ouvrage, les « Textes littéraires français » (Droz) ont publié en 1965 et 1970, avec des préfaces de V.-L. Saulnier et M. Screech, les éditions princeps de *Pantagruel* et *Gargantua*.
Toutes les autres éditions, très nombreuses, reproduisent le texte de 1542 : Livre de Poche, Folio, Garnier-Flammarion... Signalons que les éditions Presse Pocket ont récemment proposé, dans la collection « Lire et voir les classiques », une édition de *Gargantua* accompagnée d'une intéressante iconographie. Enfin la Bibliothèque classique du Livre de Poche a publié en 1994 *Gargantua* et *Pantagruel* dans une édition critique très annotée due à Gérard Defaux.

ÉTUDES GÉNÉRALES SUR L'ŒUVRE DE RABELAIS

R. Antonioli, *La médecine dans la vie et l'œuvre de F. Rabelais, Etudes rabelaisiennes*, XII, Droz, 1976.
N. Aronson, *Les idées politiques de Rabelais*, Nizet, 1973.
M. Bakhtine, *L'œuvre de Rabelais et la culture populaire au Moyen Age et sous la Renaissance*, Gallimard, 1970.
M. Beaujour, *Le jeu de Rabelais*, L'Herne, 1969.
B. Bowen, *The Age of Bluff. Paradox and Ambiguity in Rabelais and Montaigne*, Illinois Press, 1972.
M. Butor et D. Hollier, *Rabelais ou c'était pour rire*, Larousse, coll. « Thèmes et Textes », 1972.

G. Defaux, *Le curieux, le glorieux et la sagesse du monde dans la première moitié du XVIᵉ siècle,* French Forum, 1982.

G. Defaux, *Pantagruel et les sophistes,* Nijhoff, 1973.

G. Defaux, Rabelais et son masque comique, *Etudes rabelaisiennes,* 1974.

Marcel de Grève, *L'interprétation de Rabelais au XVIᵉ siècle,* Droz, 1961.

G. Demerson, *Rabelais,* Fayard, 1991.

Etudes rabelaisiennes, volumes spéciaux à parution irrégulière (Droz), dont la publication a été entreprise en 1956.

Europe, numéro consacré à Rabelais, mai 1992.

L. Febvre, *Le problème de l'incroyance au XVIᵉ siècle. La religion de Rabelais,* Albin Michel, 1942.

Cl. Gaignebet, *A plus hault sens. L'ésotérisme spirituel et charnel de Rabelais,* Maisonneuve & Larose, 1986.

E. Gilson, Rabelais franciscain, in *Les Idées et les lettres,* Vrin, 1955.

A. Glauser, *Rabelais créateur,* Nizet, 1966.

F. Gray, *Rabelais et l'écriture,* Nizet, 1974.

M. Huchon, *Rabelais grammairien,* Droz, 1981.

M. Jeanneret, Polyphonie de Rabelais : ambivalence, antithèse et ambiguïté, *Littérature,* 1984.

A. J. Krailsheimer, *Rabelais,* Desclée de Brouwer, coll. « Les Ecrivains devant Dieu », 1967.

M. Lazard, *Rabelais et la Renaissance,* PUF, « Que sais-je ? », 1980.

D. Ménager, *Rabelais,* Bordas, coll. « En toutes lettres », 1989.

Cl. Mettra, *Rabelais secret,* Grasset, 1973.

F. Moreau, *Un aspect de l'imagination créatrice chez Rabelais. L'emploi des images,* SEDES, 1982.

J. Paris, *Rabelais au futur,* Seuil, 1970.

J. Plattard, *L'invention et la composition dans l'œuvre de Rabelais,* Honoré Champion, 1909.

F. Rigolot, Le texte du discours narratif : Rabelais, in *Le texte de la Renaissance,* Droz, 1982.

M. Screech, *Rabelais,* Gallimard, 1992.

M. Screech, L'évangélisme de Rabelais, *Etudes rabelaisiennes,* Droz, 1959.

L. Spitzer, Le prétendu réalisme de Rabelais, *Modern Philology,* vol. 37, 1939.

J. Starobinski, Note sur Rabelais et le langage, *Tel quel,* 1963.

M. Tetel, *Etude sur le comique de Rabelais,* Olschki, 1963.

ÉTUDES CRITIQUES (OUVRAGES, ARTICLES OU CHAPITRES) CONSACRÉES A « PANTAGRUEL » ET « GARGANTUA »

Analyses de thèmes et aspects particuliers

a) *Texte et tradition :*
   origines folkloriques, survivances médiévales :

J. Larmat, *Le Moyen Age dans le « Gargantua » de Rabelais,* Publications de la Faculté des Lettres et Sciences humaines de Nice, coll. « Les Belles Lettres », 1973.

b) Structure et composition :

F. Rigolot, La conjointure de *Pantagruel, Littérature,* 41, 1981.

c) Langage, rhétorique et communication :

P. Mari, Une politique humaniste de l'interlocution, *Etudes de Lettres,* numéro spécial consacré à Rabelais, Lausanne, 1984.
F. Rigolot, *Les langages de Rabelais,* Droz, 1972.

d) Education et savoir :

G. Defaux, Un extrait de haulte mythologie humaniste : Pantagruel, *Picus Redivivus, Etudes rabelaisiennes,* Droz, 1977.

Analyses d'épisodes ou passages particuliers

a) Prologues :

M. Charles, Une rhapsodie herméneutique, in *Rhétorique de la lecture,* Seuil, 1977.
E. Duval, Interpretation and the « Doctrine absconce » of Rabelais's Prologue to *Gargantua, Etudes rabelaisiennes,* 1985.
A. Gendre, Le prologue de Pantagruel, le prologue de Gargantua : examen comparatif, *Revue d'histoire littéraire de la France,* janvier/février 1974.
A. Tripet, Le prologue de *Gargantua* : problèmes d'interprétation, *Etudes de Lettres,* Lausanne, 1984.

b) Lettre de Gargantua à Pantagruel :

G. J. Brault, Un abysme de science : on the interpretation of Gargantua's letter to Pantagruel, *Bibliothèque d'Humanisme et de Renaissance,* 1966.
E. V. Telle, A propos de la lettre de Gargantua à son fils, *Bibliothèque d'Humanisme et de Renaissance,* 1957.

c) Rencontre de Pantagruel et Panurge :

A. Tournon, Ce qui devait se dire en utopien, *Croisements culturels,* Michigan Romance Studies, 1988.

d) Voyage du narrateur dans la bouche de Pantagruel :

E. Auerbach, Le monde que renferme la bouche de Pantagruel, in *Mimesis. La représentation de la réalité dans la littérature occidentale,* rééd. Gallimard, coll. « Tel », 1968.

e) Les cloches de Notre-Dame :

G. Defaux, Rabelais et les cloches de Nostre-Dame, *Etudes rabelaisiennes,* 1971.

f) Thélème et l' « Enigme en prophétie » :

F. Billacois, Thélème dans l'espace et en son temps, *Etudes rabelaisiennes,* 1980.

R. Frautschi, The Enigme en prophétie and the problem of autorship, *French Studies,* octobre 1963.

A. Glucksmann, *Les Maîtres penseurs,* chap. I, Grasset, 1977.

E. V. Telle, Thélème et le paulinisme matrimonial érasmien : le sens de l'Enigme en prophétie, in *François Rabelais. Quatrième centenaire de sa mort,* Droz, 1953.

A. Tournon, L'abbé de Thélème, *Saggi e ricerche di Letteratura francese,* XXVI, 1987.

Imprimé en France
Imprimerie des Presses Universitaires de France
73, avenue Ronsard, 41100 Vendôme
Mai 1994 — N° 40 378

ÉTUDES LITTÉRAIRES